¡ARRIBA!

Ana Kolkowska
Libby Mitchell

Adviser: Jacqueline Jenkins

Heinemann Educational Publishers, Halley Court, Jordan Hill, Oxford OX2 8EJ
A division of Reed Educational & Professional Publishing Limited

OXFORD MELBOURNE AUCKLAND IBADAN JOHANNESBURG
GABORONE PORTSMOUTH NH (USA) CHICAGO BLANTYRE

First published 1997

2003 2002 2001 2000
11 10 9 8 7 6 5 4

A catalogue record is available for this book from the British Library on request.

ISBN 0 435 39050 3

Produced by Gecko Ltd

Illustrations by Phill Burrows, Jackie George, Lorna Kent, Gecko Ltd, Tania Hurt Newton, John Plumb, Peter Richardson, Martin Ursell, Kath Walker and Nick Ward.

Cover photograph by Arcaid

Printed and bound in Spain by Mateu Cromo

Acknowledgements

The authors would like to thank Rachel Aucott, Chris Barker, Isabel Caballero, Julie Green, Joan Henry, Ian Hill, Jacqueline Jenkins, Cathy Knill, Aleks Kolkowski, Gerald Ramshaw, Claudia de Santos and Ignacio Sanz and family, Carmen Suárez Pérez, Kathryn Tate and all those who participated in the studio recordings for their help in the making of this course.

The authors and publishers would like to thank the following for permission to reproduce copyright material: **Ragazza** (9/94) p.18, **Clara** (8/94) pp.20-21, **American Greetings Corporation** p.45, **Correos y Telégrafos** p.51

Photographs were provided by **Mary Glasgow Magazines** p.5 (bottom left and bottom right), p.10, p.11 (bottom) and p.69, **Mary Glasgow Magazines/David Simson** p.5 (top right) and **Mary Glasgow Magazines/James McCormick** p.11 (top), **Rex Features London** p.16, p.38 (middle left) and p.80 (right), **Mary Glasgow Magazines/Leonardo Valencia** p.19, **Rex Features London/Dave Lewis** p.29, **Retna Pictures Ltd/Bill Davila** p.37 and **Retna Pictures Ltd/Michael Putland** p.38 (bottom left), **Allsport/Shaun Botterill** p.38 (middle right), **Trevor Clifford** p.48 (top left) and p.71, **Allsport/Mart Thompson** p.72, **Aviation Picture Library/Austin Brown** p.81, **Robert Harding Picture Library/Simon Harris** p.94 (top right). All other photos are by **Steve J. Benbow** and Heinemann Educational Publishers.

Every effort has been made to contact copyright holders of material reproduced in this book. Any omissions will be rectified in subsequent printings if notice is given to the publishers.

Tabla de materias

Todos los días

1 La vuelta al colegio

1 Mira la foto y escucha la cinta. ¿Qué le hace falta a Javier? Escribe las letras de las cosas que necesita.

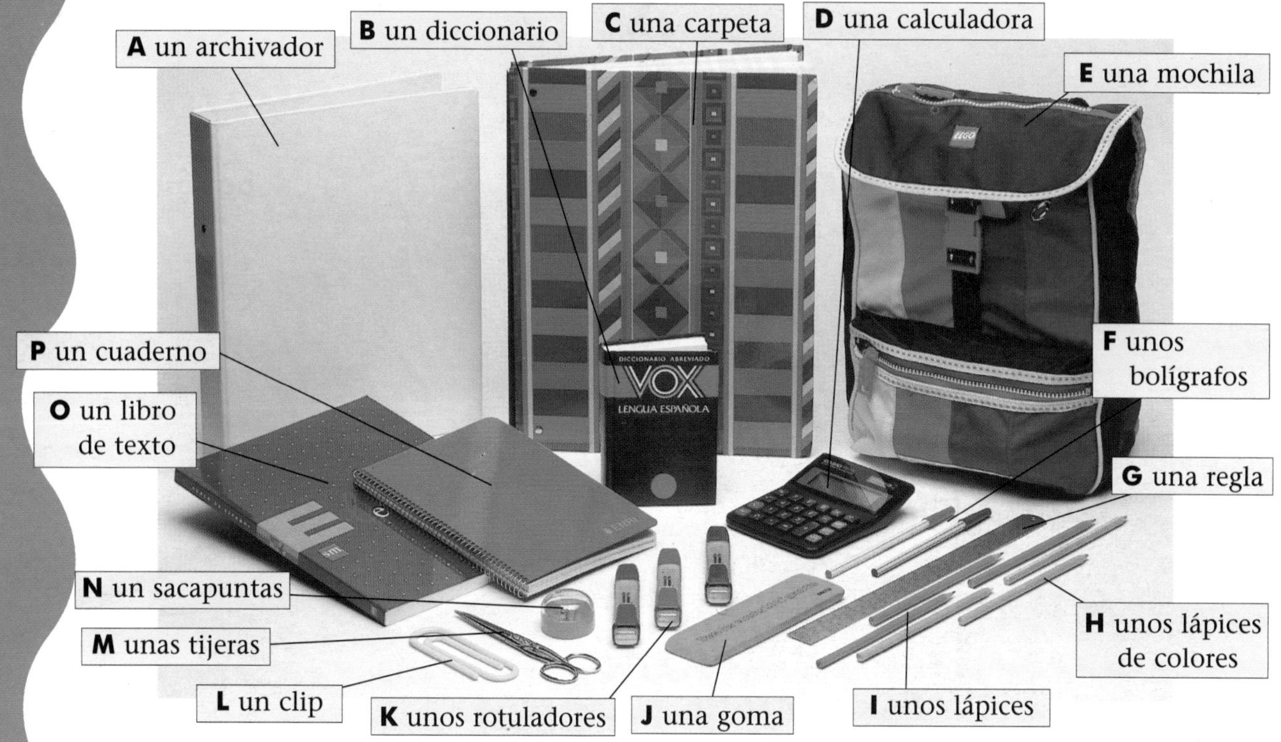

2 Trabaja con tu compañero/a. Mira la foto. Pregunta y contesta.

¿Qué te hace falta para el nuevo curso?

Me hace falta una mochila. Me hacen falta lápices.

No me hacen falta bolígrafos.

No me hace falta un sacapuntas.

acuérdate

me hace falta una mochila
me hacen falta bolígrafos
me hacen falta un sacapuntas y una regla

¿Quieres saber más?
Mira la página 119.

3 Escucha la cinta y marca la ficha.

Me llamo Montserrat Puig. Tengo 15 años. Vivo en Barcelona. Asisto al Colegio Costa y Llobera.

¡Hola! ¿Qué tal? Me llamo Ricardo García. Vivo en las afueras de Madrid. Voy al Instituto Ramiro de Maeztu.

4 Trabaja con tu compañero/a. Por turnos pregunta y contesta sobre tu instituto.

Ejemplo

¿Cómo es tu instituto?
¿Crees que hay suficiente disciplina?
¿Cómo son los profesores?
¿Es obligatorio llevar uniforme?

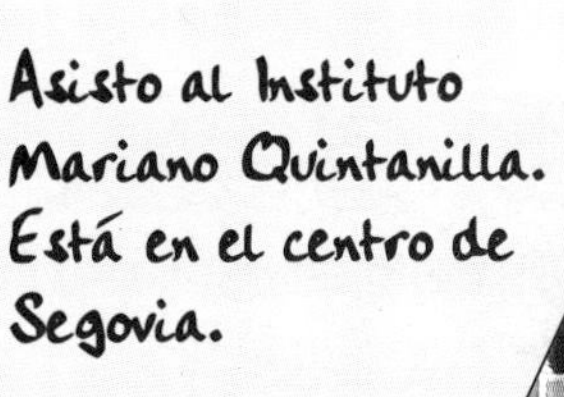

Asisto al Instituto Mariano Quintanilla. Está en el centro de Segovia.

Puedes aprender a tocar un instrumento.

Hay media hora de recreo por la mañana.

Hay un ambiente agradable y los profesores son simpáticos. No es obligatorio llevar uniforme.

Las clases duran una hora. Empiezan a las nueve y terminan a las tres. Hay una hora para comer a mediodía.

5a Discurso. ¿Qué te gusta más de tu instituto? ¿Qué no te gusta? Habla a la clase.

5b Escribe un párrafo sobre tu instituto.

…vo alumno

…cha la cinta, y mira el plano del colegio nuevo de Ignacio.
…sca en el plano los sitios que se mencionan en la historia.

PROFESORA – Hola, ¿qué tal? Eres el alumno nuevo, ¿verdad? ¿Cómo te llamas?
IGNACIO – *Me llamo Ignacio Sanz.*
PROFESORA – Clase, os presento a Ignacio.
CLASE – *¡Hola Ignacio! ¡Guapo! ¡Qué mozo! ¡Guau!*
PROFESORA – Siéntate al lado de Eva.
IGNACIO – *Vale.*

2

EVA – Tenemos matemáticas a las 9.00.
IGNACIO – *¿Dónde está el aula de matemáticas?*
EVA – Está arriba, en la primera planta. Al lado del laboratorio de ciencias.

3

Son las diez y media, la hora del recreo. En el bar.

IGNACIO – *¿Cuántos patios hay?*
EVA – Sólo hay un patio, está entre la cancha de baloncesto y el gimnasio.

4

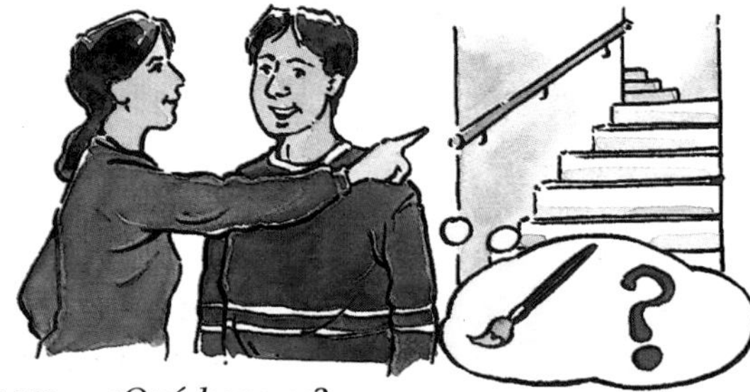

IGNACIO – *¿Qué hora es?*
EVA – Son las once. Tenemos dibujo.
IGNACIO – *¿Dónde están los talleres de dibujo?*
EVA – Tenemos que ir a la segunda planta. Sube las escaleras.

5

IGNACIO – *¿Vas a casa a comer?*
EVA – Sí claro, aquí no hay cantina. ... No te olvides que las clases de la tarde empiezan a las tres.

6

Después de comer ...

EVA – Mira, al final del pasillo está el despacho de la directora.
IGNACIO – *¿Por dónde se va a los servicios?*
EVA – El servicio de los chicos está abajo, al lado de la biblioteca. Baja las escaleras y dobla a la derecha.
IGNACIO – *¿A qué hora terminan las clases?*
EVA – A las cinco.
IGNACIO – *¿Qué vas a hacer después?*
EVA – Voy al club de teatro.

7

IGNACIO – *Bueno ... No me gusta el teatro, pero me gusta Eva ...*

Para ver que va a pasar entre Ignacio y Eva mira las páginas 24 y 30.

2 **2** Trabaja con tu compañero/a. Mira el plano. Dirige a tu compañero/a a varias partes del instituto de Ignacio. Estáis en la puerta principal.

ejemplo

¿Dónde están los vestuarios?

Están al lado del gimnasio.

3 Dirige a tu compañero/a a varias partes de tu instituto.

¿Por dónde se va al aula de música?

Baja las escaleras y sigue todo recto. Está al final del pasillo.

acuérdate

sigue todo recto – go straight on
cruza el patio – cross the playground
dobla a la derecha/izquierda – turn right/left
toma la primera a la derecha – take the first on the right
está cerca/lejos – it's nearby/a long way
baja/sube las escaleras – go down/up the stairs

2 **4a** Lee el formulario que describe el instituto de Ignacio y Eva y rellena los espacios en blanco. Usando la información en el diálogo (actividad 1) y el formulario, escribe una descripción más completa del instituto.

4b Ahora escribe una descripción de tu instituto. Incluye toda la información posible.

5 Lee la descripción del colegio ideal del extraterrestre y contesta las preguntas.

1 ¿Cómo sería el colegio ideal del extraterrestre?
2 ¿Qué tendría?
3 ¿Cuánto tiempo durarían las clases?
4 ¿Qué se podría estudiar?

Mi colegio ideal sería enorme. Estaría en el planeta más tranquilo de mi sistema solar. Habría miles de alumnos de todos los sistemas galácticos. Tendría ascensores, escaleras móviles y vehículos espaciales para transportarnos de un aula a otra. No habría profesores: estudiaríamos con ordenadores por medio del internet. Las clases durarían una semana cada una. Todas las semanas estudiaríamos una asignatura diferente. Podríamos estudiar: astronomía, comercio intergaláctico, historia espacial, geología, informática extraterrestre ...

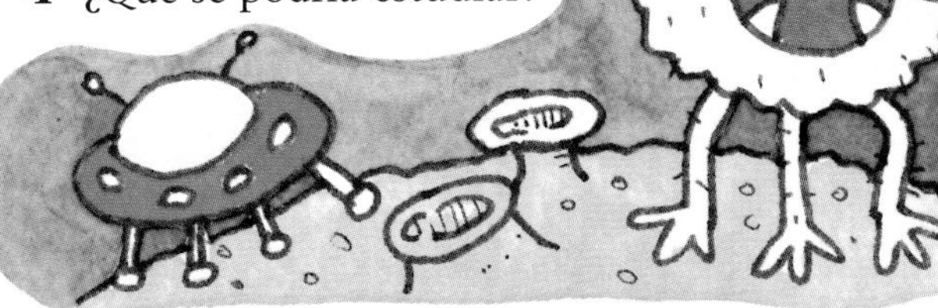

6 Haz estas preguntas a tu compañero/a.

¿Dónde estaría tu colegio ideal?
¿Cuántos alumnos habría?
¿Sería mixto/femenino/masculino?
¿Cómo sería?
¿Qué habría?
¿Qué tendría?
¿Qué podrías estudiar?
¿Cuánto tiempo durarían las clases?

GRAMÁTICA

sería – I would be
serías – you (tú) would be
sería – he/she/it/you (usted) would be
seríamos – we would be
seríais – you (vosotros) would be
serían – they/you (ustedes) would be

sería – it would be (characteristics)
estaría – it would be (place)
habría – there would be (numbers)
tendría – it would have

¿Quieres saber más?
Mira la página 111.

3 ¿Estás listo?

1a Es el principio del nuevo curso. Escucha la cinta y lee el test. ¿Está listo Ignacio para empezar el curso? Suma los puntos que obtiene y lee el análisis.

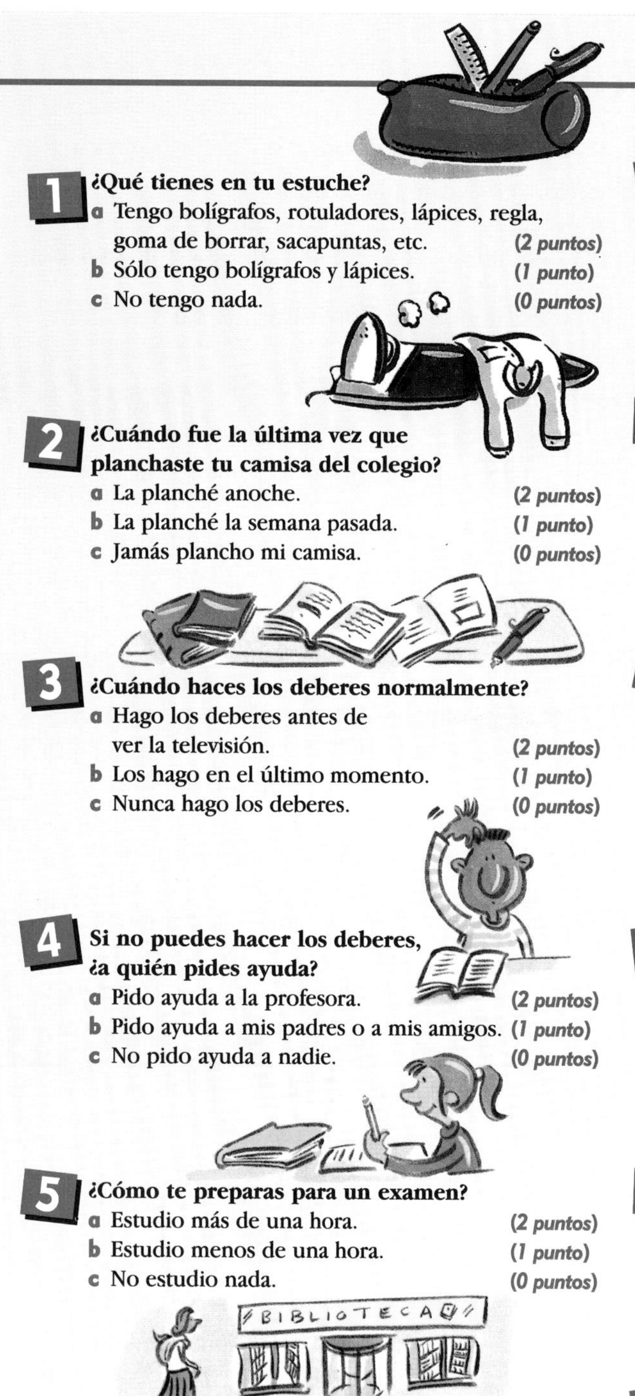

1 ¿Qué tienes en tu estuche?
- a Tengo bolígrafos, rotuladores, lápices, regla, goma de borrar, sacapuntas, etc. *(2 puntos)*
- b Sólo tengo bolígrafos y lápices. *(1 punto)*
- c No tengo nada. *(0 puntos)*

2 ¿Cuándo fue la última vez que planchaste tu camisa del colegio?
- a La planché anoche. *(2 puntos)*
- b La planché la semana pasada. *(1 punto)*
- c Jamás plancho mi camisa. *(0 puntos)*

3 ¿Cuándo haces los deberes normalmente?
- a Hago los deberes antes de ver la televisión. *(2 puntos)*
- b Los hago en el último momento. *(1 punto)*
- c Nunca hago los deberes. *(0 puntos)*

4 Si no puedes hacer los deberes, ¿a quién pides ayuda?
- a Pido ayuda a la profesora. *(2 puntos)*
- b Pido ayuda a mis padres o a mis amigos. *(1 punto)*
- c No pido ayuda a nadie. *(0 puntos)*

5 ¿Cómo te preparas para un examen?
- a Estudio más de una hora. *(2 puntos)*
- b Estudio menos de una hora. *(1 punto)*
- c No estudio nada. *(0 puntos)*

6 ¿Cuántas veces al mes vas a la biblioteca?
- a Voy todas las semanas. *(2 puntos)*
- b Voy una vez al mes. *(1 punto)*
- c No voy nunca. *(0 puntos)*

7 ¿Te importa si sacas malas notas?
- a Me importa mucho. *(2 puntos)*
- b Me importa bastante. *(1 punto)*
- c No me importa nada. *(0 puntos)*

8 ¿Cuántas de estas asignaturas te gustan? Matemáticas, ciencias, historia, español.
- a Me gustan todas. *(2 puntos)*
- b Me gustan algunas. *(1 punto)*
- c No me gusta ninguna. *(0 puntos)*

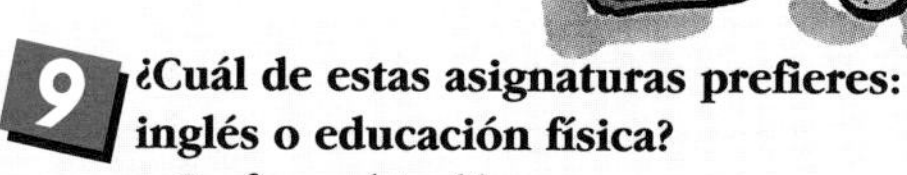

9 ¿Cuál de estas asignaturas prefieres: inglés o educación física?
- a Prefiero el inglés. *(2 puntos)*
- b Prefiero la educación física. *(1 punto)*
- c No me gustan ni el inglés ni la educación física. *(0 puntos)*

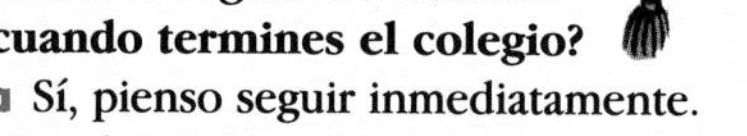

10 ¿Piensas seguir estudiando cuando termines el colegio?
- a Sí, pienso seguir inmediatamente. *(2 puntos)*
- b Prefiero tener un año libre. *(1 punto)*
- c No pienso estudiar nunca jamás. *(0 puntos)*

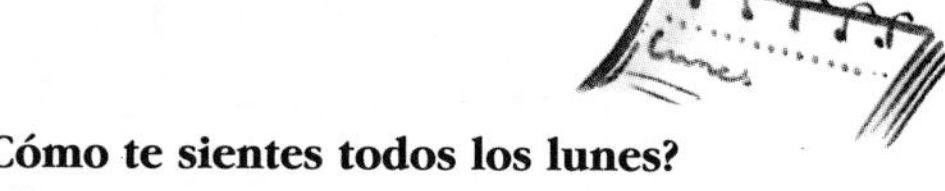

11 ¿Cómo te sientes todos los lunes?
- a Estoy contento/a. *(2 puntos)*
- b Estoy triste. *(1 punto)*
- c Estoy cansado/a. *(0 puntos)*

12 ¿Cómo te sientes al final de las vacaciones?
- a Estoy aburrido/a de no tener nada que hacer. *(2 puntos)*
- b Estoy nervioso/a de empezar el colegio. *(1 punto)*
- c Estoy enfermo/a y no puedo empezar. *(0 puntos)*

análisis

DE 18 A 24

Estás listo/a para empezar el curso nuevo. Eres buen/a estudiante y tomas los estudios en serio. Pero acuérdate que también es importante ser sociable y saber divertirte.

DE 9 A 17

Estás más o menos listo/a para empezar el curso nuevo, pero eres una persona un poco desorganizada. Escribe una lista de las cosas que tienes que hacer y hazlas en orden de importancia.

DE 0 A 8

No estás listo/a para empezar el curso nuevo. Tienes que tomar los estudios en serio y pensar en el futuro. Si tienes problemas habla con tus profesores. Los profes son tus amigos.

1b ¿Estás listo/a para el curso nuevo? Haz el test con tu compañero/a. Marca las respuestas más apropiadas para ti.

2a Trabaja con tu compañero/a. Haz estas preguntas por turnos. Contesta con *siempre*, *a veces* o *nunca*.

1 ¿Llegas tarde al colegio?

2 ¿Ayudas a tus amigos con los deberes?

3 ¿Haces los deberes?

4 ¿Traes tus libros a clase?

5 ¿Te olvidas de tus zapatillas de deporte?

GRAMÁTICA

no – no/not
nunca/jamás – never
nada – nothing
ninguno/ninguna/ningunos/ningunas – none
ni ... ni – neither ... nor
nadie – no-one

¿Quieres saber más?
Mira la página 108.

2b Compara tus respuestas con las de tu compañero/a. ¿Cuántas tenéis iguales? ¿*Todas*, *algunas* o *ninguna*?

3 ¿Cuántas frases puedes escribir que te describan a ti? Escribe una descripción de cómo eres. Incluye estas frases y otras parecidas.

Nunca Siempre A veces	plancho mi uniforme. hago los deberes. me preparo para los exámenes. me olvido de mis libros. hablo en clase. escucho a la profesora. como en clase. voy a la biblioteca.

Nadie Mi mejor amigo/a	me dice lo que tengo que hacer. me ayuda con los deberes. me presta bolígrafos. se sienta conmigo.

(No) como estudio hablo escucho trabajo hago me gusta	nada mucho bastante demasiado	durante el recreo. en clase. durante la hora de comer. a la profesora. al salir del colegio. cuando llego a casa. la historia.

4 Tus derechos

REPORTAJE

Antes de cumplir los 18 años tienes una serie de derechos que nadie debe negarte. A continuación puedes encontrar todo lo que te conviene saber.

... a expresarte

Desde siempre

Tienes derecho a expresar tus pensamientos, ideas y opiniones.

... económicos

Hasta los 18 años

No puedes actuar por ti mismo en cuestiones económicas. Tus padres pueden abrirte una cuenta bancaria y tienes acceso a la cuenta bajo su responsabilidad.

A partir de los 18 años

A los 18 años tienes mayoría de edad civil y puedes realizar todo tipo de actos relacionados con el dinero. Puedes firmar contratos, tener un negocio y comprar, alquilar o vender bienes.

... de admisión

Hasta los 18 años

Tus padres tienen que darte permiso para salir. No puedes entrar a ciertos lugares públicos donde se sirve alcohol.

Desde los 18 años

Tienes derecho a entrar en cualquier establecimiento público.

1 Mira bien las palabras marcadas en azul. ¿Qué significan? Si no las entiendes, búscalas en el diccionario.

2a Lee el reportaje sobre los derechos en España. Contesta sí o no a cada pregunta.

1 Tengo 17 años y quiero tener mi propia cuenta en el banco. ¿Puedo abrir una cuenta?

2 Los padres de mi amiga no la dejan salir por la noche. Tiene 14 años. ¿Puede salir sin permiso de sus padres?

3 Al salir de clase dos chicas me atacaron. Una de ellas me dio patadas mientras la otra me tiró del pelo. ¿Qué debo hacer? ¿Puedo denunciarlo a la Policía?

4 Tengo 16 años y quiero dejar los estudios para empezar a trabajar. ¿Tengo que pedir permiso a mis padres?

5 Tengo 13 años y mis abuelos me compraron un vespino de menos de 50cc. ¿Puedo usarlo para ir al colegio?

6 Tengo 16 años. ¿Puedo conducir una moto?

2b Escucha la cinta para ver si tus respuestas son correctas.

... judiciales

A partir de los 14 años

Puedes ser testigo en un juicio y denunciar cualquier crimen.

Antes de los 16 años

Si cometes un crimen, pasas a los Tribunales Tutelares de Menores, en lugar de los tribunales ordinarios.

Desde los 16 años

A partir de ahora eres responsable de cualquier delito que cometas.

... como detenido

Incluso los menores pueden ser detenidos de manera preventiva, pero no más de 72 horas. En esta situación tienes unos derechos como, por ejemplo, a no contestar preguntas.

... al buen trato

A cualquier edad

El buen trato es un derecho para todos los ciudadanos. Si eres objeto de una agresión, debes ir a la Comisaría de Policía y denunciar el hecho. Vale la pena llevar testigos.

... en el trabajo

Desde los 16 años

Puedes comenzar a trabajar si tienes autorización de tus padres.

... de igualdad

Desde el nacimiento

Nadie puede discriminarte por razón de raza, sexo, religión, edad, o cualquier otra condición o circunstancia personal o social.

... para conducir

A partir de los 14 años

Puedes conducir ciclomotores de menos de 50 centímetros cúbicos.

Desde los 16 años

Puedes conducir una moto de menos de 75 cc.

A partir de los 18 años

Puedes obtener el permiso de conducir.

acuérdate

desde – from, since
siempre – always
hasta – up to, until
a partir de – from
antes de – before

3 Escribe una lista de tus derechos. ¿Cuáles son las diferencias entre España y tu país?

4 Discurso. Mira las siguientes preguntas y prepara un discurso sobre los derechos.

- ¿Es justo que no puedes tener tu propia cuenta bancaria antes de los 18 años? ¿Por qué?
- ¿Es justo que tienes que pedir permiso a tus padres para salir?
- Si eres víctima de una agresión, ¿qué debes hacer? ¿Por qué?
- ¿Cuándo crees que es importante saber que nadie puede discriminarte por raza, sexo o religión?
- ¿A qué edad puedes conducir una moto/un coche en tu país?
- ¿Crees que esto es justo?

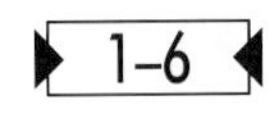

5 ¿Qué está pasando en el parque?

1 Mira bien el dibujo del parque y escucha la cinta.
Marca la actividad apropiada para cada persona en la ficha.

3

GRAMÁTICA

The present continuous tense

ar verbs add ando to the stem
er and ir verbs add iendo

patinar – patinando
correr – corriendo
salir – saliendo

estoy	patinando
estás	corriendo
está	saliendo
estamos	
estáis	
están	

¿Quieres saber más?
Mira la página 109.

3 **2** Mira la ficha que marcaste y escribe una frase para describir que está haciendo cada persona en el dibujo del parque.

ejemplo Alicia está patinando.

3 Trabaja con tu compañero/a. Dile a tu compañero/a qué está haciendo cada persona. Tu compañero/a tiene que indicar en el dibujo cada persona que mencionas.

4 Hay una persona en el dibujo del parque que se llama Paco. ¿Quién es? ¿Qué está haciendo?

5 Escribe un párrafo describiendo lo que está pasando en tu clase. Emplea frases como las siguientes.

El profesor/La profesora está ...
Algunos alumnos están ....
Otros alumnos están ...
Estoy ...
Nadie está ...

hablando
escribiendo
trabajando mucho
estudiando
leyendo
durmiendo
haciendo el loco
comiendo
mascando chicle
peinándose
mirando por la ventana
soñando

6 Lee la tarjeta y mira el dibujo. Corrige los errores.

¡Hola, amigos!
Estoy escribiendo esta tarjeta en una cafetería en Málaga. Alejandro está leyendo una revista de música rock. Maite está hablando con dos chicos. Daniel está comiendo un bocadillo enorme. Un hombre está cantando flamenco y otro está tocando la guitarra. El camarero está gritando a un gato. Hay un loro en una jaula que está bailando flamenco. Hay un partido de fútbol en la tele. Están jugando el Betis y Atlético de Madrid. Hay mucho ruido pero en el rincón hay una señora durmiendo. ¡Así que estoy pasando unas vacaciones muy tranquilas!
Hasta pronto
María Eugenia

6 Por la tarde

1a Escucha la cinta y mira la fotohistoria.

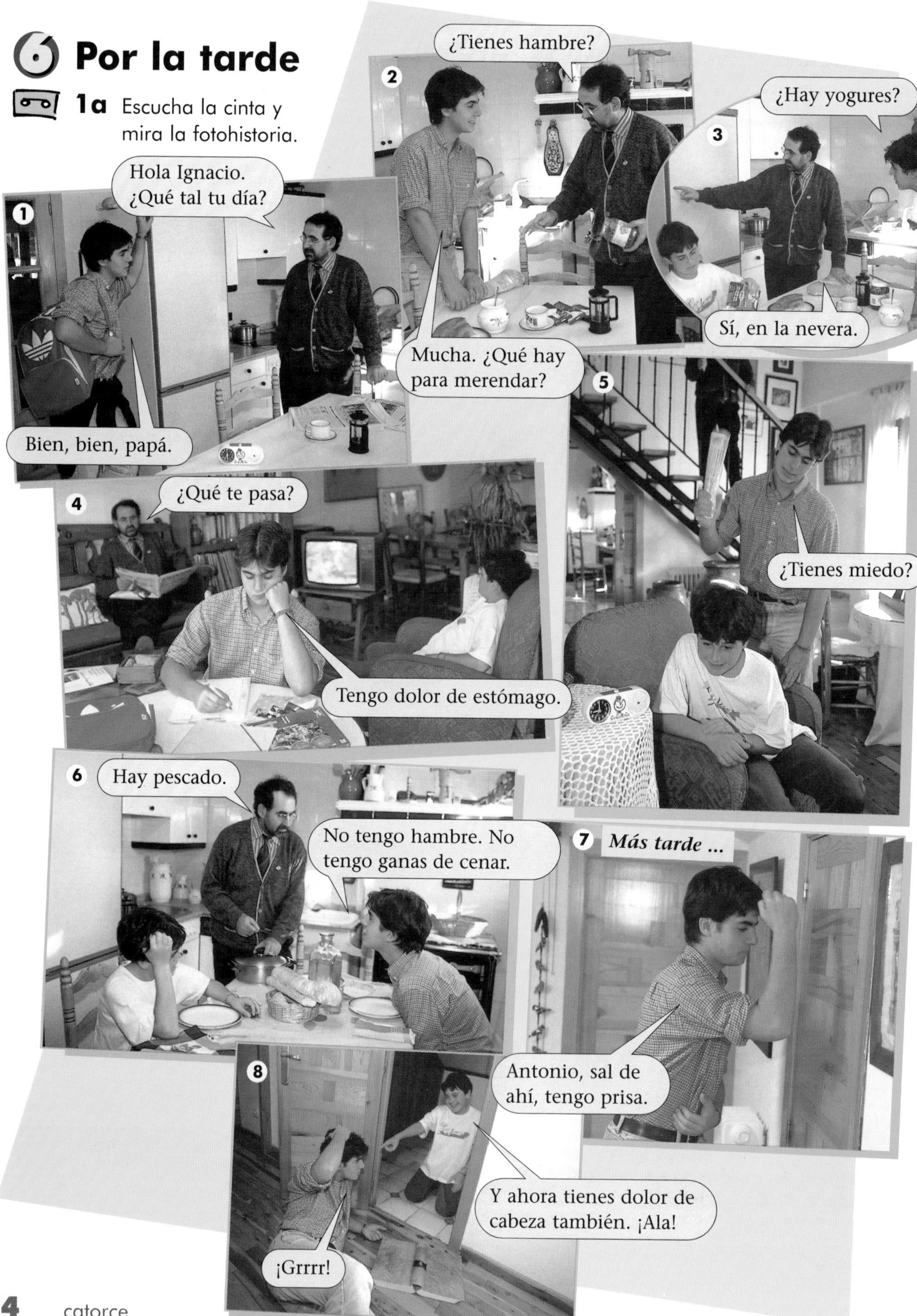

1b Escucha la cinta otra vez. ¿Son verdaderas o falsas estas frases?

1 Ignacio llega a casa a las seis.
2 No tiene hambre.
3 Merienda fruta y leche.
4 No tiene deberes.
5 Tiene dolor de estómago.
6 A Ignacio no le gusta el pescado.
7 Antonio tiene que fregar los platos.
8 Antonio tiene dolor de cabeza.

1c Escribe un párrafo describiendo lo que hace Ignacio cuando llega a casa, usando las frases correctas y corrigiendo las falsas. Añade más detalles si puedes.

2 Trabaja con tu compañero/a. Describe tu tarde.

> Llego a casa a las cuatro.
> Tengo hambre y tengo sed ...

socorro

tengo hambre – *I'm hungry*
tiene hambre – *he/she/you (usted) is/are hungry*

tengo sed – *I'm thirsty*
tengo dolor de estómago/cabeza – *I have stomach ache/a headache*

tengo miedo – *I'm scared*
tengo sueño – *I'm sleepy*
tengo ganas (de) – *I feel like ...*

¿Quieres saber más?
Mira la página 109.

3a Escucha la cinta y mira los dibujos. Empareja las frases con los dibujos.

E

3b Pregunta a tu compañero/a lo que le pasa al chico.

> ¿Qué le pasa al chico aquí?
> Tiene hambre.
> ¿De qué tiene ganas?
> Tiene ganas de comer.

3c Contesta estas preguntas:

1 ¿Cuándo tienes hambre?
2 ¿Cuándo tienes sed?
3 ¿Cuándo tienes miedo?
4 ¿Cuándo tienes sueño?
5 ¿Cuándo tienes prisa?

ejemplo Tengo hambre cuando vuelvo del colegio.

7 Salud y belleza

Naomi Campbell, Claudia Schiffer, Christy Turlington, ¿qué tienen en común estas bellas mujeres?

Son modelos de élite de los años noventa. Salen en todas las revistas. Llevan la ropa más de moda en las pasarelas de París y Nueva York y ganan mucho dinero. Físicamente también se parecen: son altas, delgadas y elegantes. Su vida y carrera es el sueño de muchas jóvenes que quieren ser como ellas.

¿Cuál es la realidad detrás de la imagen? ¿Cómo consiguen mantener la forma física necesaria? No deben tener jamás una espinilla en la cara, ni un kilo más de peso. Deben beber nada más que agua y comer poco. No deben tomar alcohol ni fumar. Tienen que dormir bien y siguen un régimen disciplinado. Comen ensaladas y fruta y no deben comer nunca chocolate ni patatas fritas. Tienen que hacer ejercicio para mantenerse en forma.

La imagen de belleza actual no es fácil de conseguir. Las pocas afortunadas que consiguen el éxito ganan mucho dinero. Pero para los demás, que recibimos repetidamente esta imagen por la tele, en el cine, en las revistas, de cómo debe ser la mujer perfecta o el hombre ideal actual ... ¿qué hacemos? ¿Cómo reaccionas tú? ¿Te pones a régimen y tienes miedo de engordar? ¿Vas al gimnasio todos los días para estar en forma? ¿O sientes un incontrolable deseo de tumbarte en el sofá, comer una tableta de chocolate y decirte 'la belleza es lo que tienes dentro'?

A continuación están las opiniones de los jóvenes que entrevistamos sobre este tema.

Olhana Pérez

15 años

Para mí es importante sentirme bien. Me gusta llevar faldas cortas y la ropa ajustada. Es cierto que tengo miedo de engordar y no siempre como bien, pero trato de tomar un buen desayuno y no comer chocolate y patatas fritas entre comidas. Debo hacer más ejercicio. Me encantaría ser una modelo, pero ¡no soy alta y no tengo las piernas largas!

Fermín Solá

15 años

No quiero ser un modelo, ¡ni hablar! Pero me gustaría ser un deportista profesional. Creo que estoy en forma. Practico muchos deportes. Juego al fútbol tres veces a la semana, por lo menos. No tengo miedo de engordar pero sé que debo comer menos patatas fritas y más ensaladas. No fumo porque no me gusta y porque es malo para la salud.

Almudena Cruz

14 años

Quiero guardar la línea y me gusta vestirme a la moda pero no quiero imitar a las modelos o actrices de cine. Me gustaría estar en forma pero no me gusta mucho el deporte. Me gusta hacer aerobics pero no puedes hacerlo en el instituto. Creo que las clases de educación física deben ser apropiadas para todos los alumnos, no solamente para los que tienen mucha habilidad para los deportes.

Juan Miguel Cano

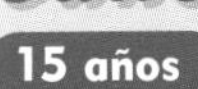

Creo que las imágenes que recibimos por la tele y por otros medios de comunicación nos afectan a todos. Hay gente que se obsesiona por tener un cuerpo perfecto. Controlar excesivamente lo que comes puede ser peligroso. También es posible convertirse en adicto del ejercicio para tener el cuerpo perfecto. En realidad la perfección no existe. Hay que sentirse a gusto consigo mismo.

1a Lee el artículo y las opiniones, luego escucha la cinta. Escribe la letra apropiada para cada opinión que oyes. (O – Olhana, F – Fermín, A – Almudena, J – Juan Miguel.)

1b Vuelve a escuchar las opiniones. ¿Estás de acuerdo? ¿No estás de acuerdo? Escribe una ✔ o una ✘ para cada opinión.

2 Trabaja con tu compañero/a. Pregunta y contesta por turnos.

- ¿Crees que estás en forma? ¿Qué haces para estar en forma?
- ¿Comes un buen desayuno? ¿Qué comes?
- ¿Bebes mucha agua? ¿Qué bebes?
- ¿Cuántas veces a la semana comes chocolate y patatas fritas?
- ¿Qué crees que debes comer todos los días?
- ¿Duermes bien? ¿A qué hora te acuestas? ¿A qué hora te levantas?
- ¿Cuántas horas duermes cada noche?
- ¿Fumas? ¿Por qué?/¿Por qué no?
- ¿Qué te obsesiona?
- ¿Te gusta vestirte a la moda? ¿Qué te gusta llevar?
- ¿Te gustaría ser modelo? ¿Por qué?

3 Escribe una lista de seis cosas que debes hacer para tener buena salud.

Debes/No debes ...	comer	un buen desayuno/entre comidas/ fruta y ensalada/chocolate y patatas fritas
	dormir	más/menos
	hacer deporte tumbarte en el sofá	todo el día/tres veces a la semana/al día/al mes
	beber	agua/café/alcohol
	fumar	
	obsesionarte/sentirte a gusto contigo mismo	

4 Prepara un discurso. Escribe tus opiniones sobre la salud y la belleza. Elige las opiniones apropiadas del artículo.

8 ¿Qué llevas al colegio?

Todos los septiembres la misma canción: horas de codos intensivas, el esfuerzo de preparar un nuevo surtido de chuletas y ¡todos los recreos del año para quedarte con ellos! ¿No te lo querías ligar? Pues acorta distancias y ¡dale un repaso al uniforme!

Nada de renovar el vestuario: un par de camisas de tu hermano mayor, y te darán la nota más alta

¿La clave para empezar el curso con buen pie? Tijeras, hilo, aguja, el viejo uniforme... y ¡a cortar las distancias!

KATIA: Pichi burdeos (5.475 ptas.), de *Sisley*; camisa (14.740 ptas.), de *Ángel Schlesser*; corbata (500 ptas.), de *Marmota*; calcetines (1.495 ptas. el paquete de tres), de *Marks & Spencer*, y mocasines (27.950 ptas.), de *Robert Clergerie*. VANDA: Pichi marrón (3.500 ptas.), de *Marmota*; camisa (19.000 ptas.), de *Isabel Berz*, y zapatos (8.500 ptas.), de *Santi Show*. IRINA: Pichi escocés (5.475 ptas.), de *Benetton*: camisa (4.275 ptas.), de *Benetton*, y zapatos (29.670 ptas.), de *Robert Clergerie*.

KATIA: *Mini* gran (7.675 ptas.), de *Sisley*; chaleco granate (3.275 ptas.), de *Benetton*; cardigan cruzado (5.975 ptas.), de *Mango*; calcetines (695 ptas.), de *Marks & Spencer*, y zueco-mocasín (8.500 ptas.), de *Santi Show*. VANDA: Camisa (8.000 ptas.), de *Selvatgi*; jersey (12.900 ptas.), de *Blanc Blue*; mini escocesa (4.975 ptas.), de *Mango*; medias (3.500 ptas.), de *Cimeria*; boina (9.000 ptas.), de *Blanc Bleu*, y zapatos rojos (29.670 ptas.), de *Robert Clergerie*. IRINA: Camisa azul (3.575 ptas.), de *Benetton*; mini (19.580 ptas.), de *Ángel Schlesser*; jersey (14.000 ptas.), de *C. Mathieucolla*; corbata (500 ptas.), de *Flip*; mocasines (27.950 ptas.), de *Robert Clergerie*, y bolsito (2.400 ptas.), de *Fun Bags*.

Socorro

quedarte – *to stay*
renovar – *to renew*
el vestuario – *clothing*
la nota más alta – *the highest grade*
el curso – *school year*
el hilo – *thread*
la aguja – *needle*

Estas palabras son idiomáticas:

la misma canción – *the same story*
codos – *hard study*
la chuleta – *cheat/crib*
querer ligar – *to fancy*
acortar distancias – *to cut corners*
dar un repaso – *to revise*
con buen pie – *on a good footing*

Busca estas palabras en el diccionario:

el esfuerzo
el surtido
la clave

1 Lee este artículo de la revista *Ragazza* y contesta las preguntas.

1. ¿Qué artículos de ropa puedes comprar en Marks and Spencer?
2. ¿Qué artículos puedes comprar en Benetton?
3. Dibuja un pichi, un chaleco, una boina y un par de mocasines.
4. ¿Qué estilo es escocés?
5. ¿Qué puedes repasar?
6. ¿Con qué puedes obtener la nota más alta en moda?
7. ¿Cómo puedes empezar el curso con buen pie?
8. ¿Qué puedes cortar con un par de tijeras?

2 Haz cuatro listas de la ropa en estas páginas.

adoro   me gusta   no me gusta   odio

3 Termina estas frases con tus propias palabras y escribe otras parecidas.

La clave para empezar el curso con buen pie es ...
Ponte ... y te darán la nota más alta.
Renueva tu vestuario con ...
Dale un repaso al uniforme y ...

4 ¿Qué ropa es ideal para ir al colegio?

Un abrigo	es	cómodo/a/s
Un anorak	son	incómodo/a/s
Una blusa		práctico/a/s
Unas botas		poco práctico/a/s
Una camisa		feo/a/s
Una camiseta		elegante/s
Un chandal		moderno/a/s
Una chaqueta		atractivo/a/s
Una corbata		anticuado/a/s
Una falda		
Un jersey		
Unas mallas		
Unos pantalones		
Un pichi		
Unas sandalias		
Una sudadera		
Unos vaqueros		
Un vestido		
Unas zapatillas deportivas		
Unos zapatos		

5 Lee la carta de Juan, un estudiante español, y mira la foto de Pedro, un estudiante peruano. ¿Cuántas diferencias hay entre lo que llevan al colegio?

En España no llevamos uniforme. Sólo hay uniforme en algunos colegios privados. Para ir al instituto llevo cualquier cosa, algo cómodo. A veces llevo un chandal pero generalmente me pongo vaqueros y un jersey o una sudadera. En el verano llevo camisetas. Llevo zapatillas deportivas porque son prácticas. Casi todo el mundo lleva lo mismo, chicas y chicos - vaqueros y jersey. Es como un uniforme. Nadie quiere aparentar más que los otros. Sé que en otros países es obligatorio llevar uniforme. Será para dar una imagen colectiva del instituto, o para que todos los alumnos sientan que pertenecen al mismo establecimiento. Quizás será para que los alumnos no sean competitivos en cuanto a la ropa que llevan. En mi opinión, tener que llevar uniforme debe ser una lata. Es mejor estar cómodo que formal. Y creo que ninguno de mis colegas tendría la cara de criticar a otro por lo que lleve.

p **6** Diseña y describe tu uniforme ideal.

9 ¡A estudiar!

PREPÁRATE

En España los alumnos que no aprueban los exámenes de fin de curso, tienen que repetir los exámenes en septiembre. Éste es un artículo de la revista Clara, *que da consejos para repasar con éxito.*

Mientras estudias

1 Es bueno saber por qué se desea aprobar: buscar un motivo, distinto para cada alumno, que le dé fuerzas para conseguirlo.

2 Sentir curiosidad por lo que se estudia y no hacerlo porque sí, sino fijándose en lo que tiene de interesante cada tema.

3 Primero, hacer una lectura del tema y luego pasar a la acción: realizar resúmenes, esquemas, subrayar los apuntes de clase, repetir los ejercicios que se hicieron en el curso …

4 Concentrarse en una tarea cada vez: dedicar un día para cada asignatura o máximo para dos asignaturas afines, es lo idóneo.

5 Memorizar sí, pero no como único método. Hacerlo para retener nombres, fechas, siglas o fórmulas. Es útil en asignaturas como Historia y Ciencias Naturales, pero debe hacerse con moderación, sin aprenderlo todo "de corrido". Los pedagogos argumentan que si se entiende lo que se estudia, tardará mucho más en olvidarse.

Si antes de hacer el examen no entiendes algo, pregúntalo.

Antes y después de examinarte

Es conveniente tener en cuenta algunas recomendaciones para afrontar con éxito la angustia que pueden provocar los exámenes:

Antes:

- *Preparar el material que se va a necesitar.*
- *Tratar de dormir ocho horas la noche anterior.*
- *Levantarse a la hora correcta y tomar un desayuno ligero.*
- *No hablar del examen con los compañeros antes de entrar.*
- *Ir al lavabo y entrar antes a la sala de examen.*
- *Si lo permiten, leer el examen y consultar cualquier duda sobre cómo debe hacerse: si hay preguntas obligatorias, cuánto puntúan, tiempo para realizarlo, etc.*

Después:

- *Evitar hablar de las preguntas del examen. Es fácil no ponerse de acuerdo en las respuestas o soluciones y esto sólo crea angustia ante las posibilidades de error.*
- *Relajarse haciendo algo totalmente diferente durante unas horas.*
- *No bajar la guardia: prepararse para el próximo examen.*

1 Lee la sección Antes y después de examinarte y mira este resumen. Elige las palabras que faltan de la lista.

Es buena idea acordarte de algunas maneras para combatir el a) ________________ de los exámenes. Antes del examen b) ________________ el tema; c) ________________ lo suficiente; no te d) ________________ tarde; no e) ________________ demasiado, no f) ________________ sobre el examen antes de entrar; vete al g) ________________ ; si no entiendes lo que tienes que hacer, h) ________________
Después del examen no hables de ello con tus i) ________________ ; j) ________________ un rato; k) ________________ a estudiar para el siguiente examen.

descansa   repasa   compañeros   baño   desayunes   empieza
duerme   estrés   levantes   discutes   pregúntalo

PARA SEPTIEMBRE

6 Recuperar los exámenes que se hicieron de las asignaturas suspendidas durante el curso: repetirlos y comprobar los fallos.

7 Autoexámenes: al acabar el repaso de uno o varios temas, hacerse y contestar preguntas que podrían salir en un examen.

Al hacer el examen

Es útil enfrentarse a un examen con una estrategia para resolver cuestiones que podrán suponer más puntos al corregirlo:

- Hacer una primera lectura de todo el examen y empezar a responder por las que resulten más fáciles.
- Distribuir el tiempo para cada pregunta según lo que puntúe: a más puntos, más tiempo.
- Leer detenidamente cada pregunta tratando de entender cada palabra. Comprender exactamente qué requiere contestar. Hacerlo especialmente en ejercicios de cálculo y en la lectura de los pasajes para realizar comentarios de texto.
- Pensar bien antes de responder. Elaborar un croquis aparte. Planear la respuesta con frases esquemáticas en forma de borrador, pero sin perder demasiado tiempo.
- Responder lo que se pide, pero no más. "Enrollarse" puede volverse en contra si se cometen fallos. Dar varias razones a una pregunta puede dar impresión de inseguridad.
- Si se va corto de tiempo, contestar las últimas preguntas con un esquema o en forma de notas breves. Pueden puntuar también.
- Si no van a descontar puntos, hay que arriesgarse a responder las preguntas de las que no se está seguro. Si se intuye la respuesta o cree recordarse, vale la pena probar.
- Poner cuidado en la buena letra, orden, ortografía y expresión.
- Dejar tiempo para repasar las respuestas al final y nunca entregar el examen antes de que acabe el tiempo. ■

2 Empareja las frases siguientes con el párrafo apropiado de la sección Mientras estudias. Nota que no se necesitan todas las frases.

Ejemplo – Cuando termines de estudiar algunos temas prueba a hacer un mini examen.	7
Lee el tema y luego escribe unas notas o contesta algunas preguntas.	
Mira bien los fallos que cometiste en el examen suspendido.	
No estudies más de una o dos materias cada vez.	
Entiende lo que aprendes.	
Pon interés en lo que estudias.	
Motívate.	
No hablar del examen con nadie.	

4 **3** Lee la sección Al hacer el examen y completa las frases eligiendo las opciones correctas.

4a Usando el vocabulario de las actividades 1, 2 y 3, haz unas notas en inglés sobre los consejos que da el artículo.

4b Lee el artículo otra vez y escribe, en orden de importancia, las cosas que te ayudan a ti a repasar para los exámenes.

7–12

1 Escucha la canción y contesta las preguntas.

La vuelta al colegio

Temprano me despierto,
de prisa me levanto,
me lavo lo antes posible.
Me visto con cuidado,
desayuno un bocado
porque hoy es un día terrible.

Estribillo
Al fin de las vacaciones
llegan las obligaciones.
La vuelta al colegio es hoy.
Estudios y deberes,
exámenes y papeles.
¡No estoy listo pero voy!

Cuadernos en la mochila,
zapatillas de marca Fila.
Ya noto que estoy muy nervioso.
Cuadernos en la carpeta,
me pongo la chaqueta,
y siento que estoy muy ansioso.

(Estribillo)

Dinero pido a mi madre,
me despido de mis padres.
La puerta la cierro con temor.
Por la calle a pie voy.
No muy listo yo estoy,
me enfrento al día con terror.

(Estribillo)

1 ¿Qué día es hoy?
2 ¿Qué come el chico antes de salir?
3 ¿Cómo se encuentra?
4 ¿Qué ropa se pone?
5 ¿Qué pide a su madre?
6 ¿Cómo va al colegio?
7 ¿Fue así tu vuelta al colegio?

Now you can:

• ask and say what items you need for school	¿Qué te hace falta? Me hace falta una calculadora. Me hacen falta rotuladores.
• ask for and give opinions about your school, its routine and extra-curricular activities	¿Hay suficiente disciplina? No es obligatorio llevar uniforme. Puedes aprender a tocar un instrumento. Las clases duran una hora.
• ask about and describe the layout and facilities of a school	¿Dónde está el aula de matemáticas? Está arriba, en la primera planta, al lado del laboratorio de ciencias.
• ask about and describe your ideal school	¿Cómo sería tu colegio ideal? Mi colegio ideal estaría en las afueras de la ciudad. Sería grande y moderno.
• say what you do not do	Nunca llego tarde a clase. No pido ayuda a nadie. No tengo nada que hacer.
• talk and ask about your rights and what you can do according to your age	Siempre tienes el derecho a expresarte. A partir de los 16 años puedes conducir una moto.
• ask and say what you are doing	¿Qué estás haciendo? Estoy estudiando.
• describe how you are feeling	Tengo sed. Tengo miedo. Tengo sueño. Tengo ganas de comer.
• talk about health, diet and fitness	Creo que estoy en forma. No fumo porque es malo para la salud.
• talk about what you wear for school	Llevo vaqueros, una sudadera y botas porque son prácticos y cómodos.

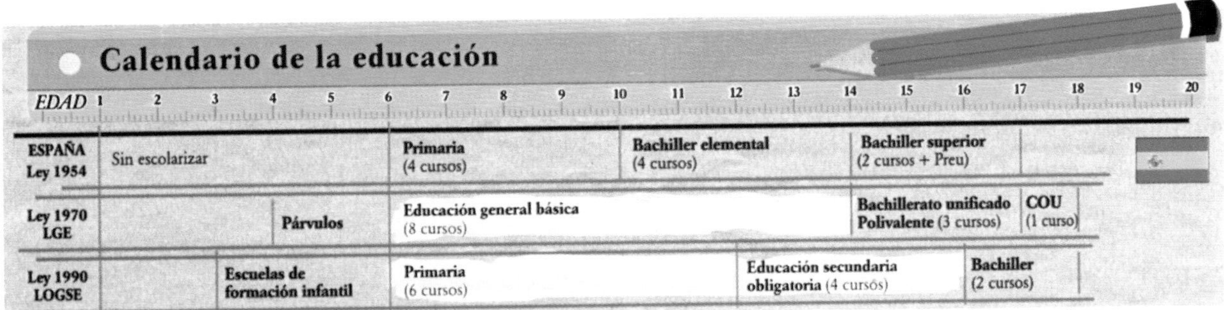

La cita

1 ¿Dígame?

1 Escucha la cinta y contesta las preguntas.

– Mira ... estaba pensando ... pues, ¿quieres ir al cine conmigo este fin de semana?
– *¿Qué ponen?*
– Juez Dredd.
– *Estupendo. Me gusta mucho Sylvester Stallone. Es fantástico. ¿Dónde lo ponen?*
– En el cine Delicias. ¿Cuándo quieres ir?
– *El sábado por la tarde me viene bien.*
– De acuerdo. ¿A qué hora?
– *Depende. ¿A qué hora empieza la película?*
– No sé. Voy a llamar al cine para enterarme.
– *Vale. ¿Y me llamas más tarde?*
– Bueno.
– *Hasta luego.*

AZUL la Florida, 15. Teléfono: 441 53 09
El día de la bestia
5 7 9 11

BÉCQUER Bécquer, 19. Bus: C2, C4, 2, 13 y 14. Teléfono: 437 07 85. 650.
La locura del rey Jorge
5 7 9 11

CERVANTES Amor de Dios, 33. Bus: 13 y 14. Teléfono: 438 58 10. 650 ptas.
Mientras dormías
5.45 8.15 10.45 -

CORONA CENTER Salado, Pagés de Corro y Paraíso. Bus: 5, 40 y 42. Teléfonos: 438 01 57 y 427 80 64. 650 ptas. Miércoles, 400.
Priest
La carnazza
5 7.05 9.10 11.15
5.45 8.15 10.45 -

CRISTINA MULTICINES Puerta Jerez. Tlfno.: 422 66 80. 650. Miércoles, 350.
Testigo mudo
Don Juan de Marco
Boca a boca
5.15 7.15 9.15 11.15
4.45 6.45 8.45 10.45
5 7 9 11

DELICIAS Calle Albaida s/n. Bus: 1, 11, 12 y 73. Teléfonos: 438 01 57 y 435 27 36. 650 ptas. Miércoles, 400.
Juez Dredd
5 7 9 11

FANTASIO Pagés del Corro, 100. Teléfono: 433 72 00
La flor de mi secreto
5 7 9 11

FLORIDA MULTICINES Menéndez y Pelayo, 31. Bus: C3, C4, 24 y 32. Teléfonos: 438 01 57 y 441 35 53. 600 ptas. Miércoles, 350.
Nadie hablará de nosotras…
Virtuosity
Alerta máxima II
5.15 7.15 9.15 11.15
5 7 9 11
5 7 9 11

REGINA Jerónimo Hernández, 19. Teléfono: 421 42 19
Asesinos
5 7.30 10 -

RIALTO MULTICINES Plaza Padre Jerónimo de Córdoba, 7. Teléfono: 421 39 83. Con carnet joven, de estudiantes, Inem y Jubilados, 300 ptas según película.
Don Juan de Marco
El primer caballero
Boca a boca
Desperado
Testigo mudo
4.45 6.45 8.45 10.45
6.15 8.40 11 -
4.30 6.30 8.30 10.30
4.30 - - -
4.30 6.30 8.30 10.30

1 ¿Dónde van a ir Ignacio y Eva?
2 ¿Qué van a ver?
3 ¿Cuándo van a ir?
4 ¿Qué va a hacer Ignacio?
5 ¿Qué va a hacer más tarde?

socorro

el servicio automático – *answering service*
la primera sesión – *first performance*
se proyecta – *showing*
para menores acompañados – *certificate 12/15/PG*
tolerada – *no certificate*
para mayores de 18 años – *X certificate*
numerada – *numbered seating*
las taquillas – *box office*

2a Escucha la cinta y rellena la ficha.

5

2b ¿Cuál de las películas te gustaría ver? Invita a tu compañero/a al cine.

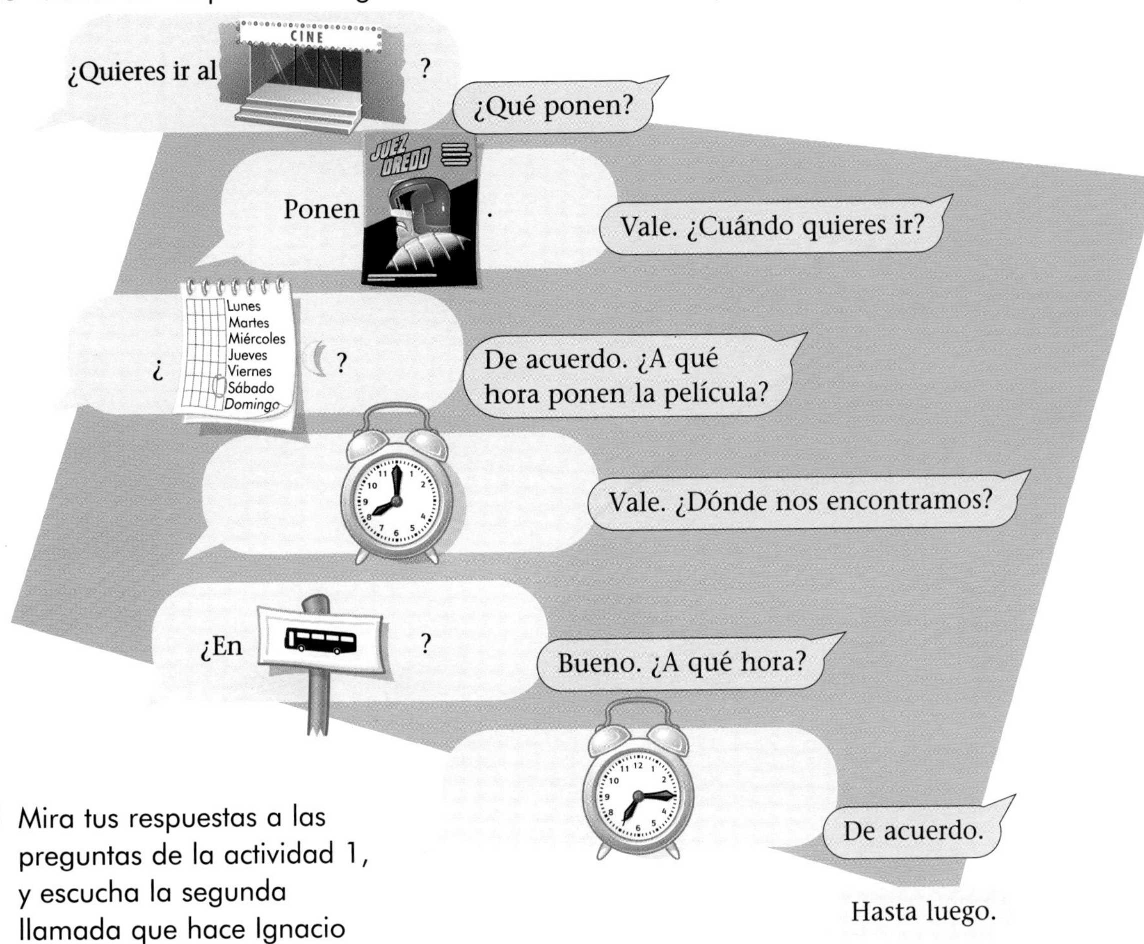

Hasta luego.

3 Mira tus respuestas a las preguntas de la actividad 1, y escucha la segunda llamada que hace Ignacio a Eva. ¿Qué palabras faltan en el diario de Eva?

EL DIARIO DE EVA

¡Qué emoción! Hoy me llamó Ignacio por .... a invitarme al cine. Me gusta mucho Ignacio, ¡es tan guapo! Vamos al .... el .... por la .... Vamos a ver .... Me encanta .... ¡Es sensacional! Nos encontramos en .... a las .... La película empieza a las .... No puedo esperar hasta el sábado.

JUEZ DREDD

EE UU, 1995. Fantástica. Dir.: Danny Cannon. Int.: Sylvester Stallone. En el tercer milenio la humanidad vive en megaciudades llenas de violencia. El juez Dredd es una leyenda que lucha por la justicia. *Delicias.* ★

DON JUAN DE MARCO

EE UU, 1995. Drama. Dir.: Jeremy Leven. Int.: Marlon Brando, Johnny Depp y Faye Dunaway. Depp interpreta a un muchacho que cree ser la reencarnación del seductor Don Juan, que visita a un psicoanalista que mantiene una crisis sentimental con su esposa. *Cristina.* ★

2 Dos entradas, por favor

 **1a** Escucha y lee.

– Buenas tardes.
– *Hola, buenas tardes.*
– Dos entradas, por favor.
– *¿Para qué película?*
– Para *Evita*.
– *¿A qué hora?*
– A las siete y media.
– *Dos entradas, para Evita, a las siete y media. Aquí tiene.*
– ¿Cuánto es?
– *Son mil doscientas pesetas.*
– Tome, mil doscientas pesetas.
– *Gracias.*
– ¿A qué hora termina la película?
– *Termina a las nueve y media.*
– Gracias.
– *De nada.*
– Adiós.
– *Adiós.*

1b Contesta las siguientes preguntas sobre el diálogo:

1 ¿Cuántas entradas quiere comprar la chica?
2 ¿Qué película van a ver?
3 ¿A qué hora empieza?
4 ¿Cuánto cuestan las entradas?
5 ¿Cuándo termina la película?

101 Dálmatas
sesiones a las: 3.30, 5.15, 7.15, 9.00
precio: 600 pesetas

El profesor chiflado
sesiones a las: 5.30, 8.00, 10.30
precio: 550 pesetas

El Día de la Independencia
sesiones a las: 5.20, 8.20, 11.20
precio: 725 pesetas

Hamlet
sesiones a las: 5.45, 9.45
precio: 700 pesetas

2 Trabaja con tu compañero/a. Lee la información sobre las películas. Haz un diálogo para pedir entradas para dos películas que quieres ver.

3 Escucha los diálogos y elige la frase apropiada que corresponde a cada diálogo.

a No quedan entradas. El cine está lleno.
b Hoy no se pone esa película.
c El cine está cerrado.
d La película sólo es para mayores de 18 años.
e El chico/la chica no tiene suficiente dinero para las entradas.

4 Elige la pregunta apropiada para continuar cada diálogo de la actividad 3.

1 ¿Hay entradas para la próxima sesión?
2 ¿Cuándo se vuelve a poner la película?
3 ¿Qué películas se ponen para menores de 18 años?
4 ¿Cuándo está abierto el cine?

socorro

la entrada – *cinema ticket*
la sesión – *performance, showing (of a film)*
no quedan – *there are none left*
poner – *to show (a film)*
mayor, mayores – *older*
menor, menores – *younger*
próximo – *next*

3 La mejor película del año

1a Elige una película apropiada para las personas en los dibujos.

1. **Los puentes de Madison County**
   para mayores de 15 años
2. **Siete**
   no apta para menores de 18 años
3. **Blancanieves**
   para todos los públicos
4. **Lo que el viento se llevó**
   para mayores de 12 años
5. **El jorobado de Notre Dame**
   para todos los públicos
6. **El fugitivo**
   para mayores de 15 años
7. **Cuatro bodas y un funeral**
   para mayores de 12 años

1b ¿Cuáles son los títulos de las películas en inglés?

2 Imagina que quieres ver una película en España. Llamas al cine. Escucha la cinta. ¿Qué películas puedes ver?

Oscar con acento

La noche de los Oscars de 1996 entra en la historia como «la noche de los intrusos». Un australiano, Mel Gibson, se llevó cinco estatuillas por su *Braveheart*. El de una británica, *Sentido y sensibilidad*, fue el mejor guión, y un cerdito, *Babe*, estuvo a punto de ser la mejor película. También es australiana.

BRAVEHEART, 5 oscars (película, director, fotografía, maquillaje y efectos de sonido)
SOSPECHOSOS HABITUALES, 2 oscars (actor secundario y guión original)
POCAHONTAS, 2 oscars (banda sonora musical y canción original)
APOLO XIII, 2 oscars (montaje y sonido)
RESTAURACION, 2 oscars (dirección artística y vestuario)
SENTIDO Y SENSIBILIDAD, EL CARTERO... (Y PABLO NERUDA), BABE, EL CERDITO VALIENTE, EN MEMORIA DE ANA FRANK (Documental), UN SUPERVIVIENTE RECUERDA (Documental), UN AFEITADO APURADO (Corto de dibujos animados) y LLEBERMAN ENAMORADO (Cortometraje), un oscar.
El animador CHUCK JONES recibió un premio honorífico, y KIRK DOUGLAS, un Oscar en reconocimiento a toda una vida dedicada al cine.

3 Escucha la cinta. ¿Cuáles son las películas y actores y actrices que mencionan los jóvenes españoles?

4 Trabaja con tu compañero/a. Pregunta y contesta.

¿Cuál es la mejor película del año para ti? ¿Por qué?
¿Quién es la mejor actriz?
¿Quién es el mejor actor?
¿Qué película tiene la mejor música o la mejor canción?
¿Qué película tiene los mejores efectos visuales?

5 Elige tus propios premios 'Oscar'. Copia y completa las siguientes frases.

Para mí el mejor actor es ..../los mejores actores son ....
Creo que .... es la mejor actriz/las mejores actrices son ....
En mi opinión .... es el mejor director/los mejores directores son ....
Pienso que la mejor película es ....

Socorro
el/la mejor/los mejores/las mejores – *the best*
el/la peor/los peores/las peores – *the worst*

6 Escribe tus opiniones sobre los peores actores y películas del año.

4 Lo siento

1a Pon las frases que faltan en el orden correcto.

1 ¡No tengo ni un duro!
2 ¿Qué hora es?
3 ¿Quieres Fanta?
4 Mira, el autobús se fue.
5 ¿Dónde está Ignacio?
6 ¿Quieres ir a la piscina mañana?
7 ¡Cuidado!

1 *En la parada del autobús ...*

a ....

2

b ....

¡Ay! Es mi culpa.

3 *En la taquilla ...*

c ....

Las cinco y cuarto. La película ya empezó.

Perdona.

4 *En el quiosco ...*

¿Quieres palomitas?

d ....

Ay, perdón.

Perdone.

5 *En el cine ...*

e ....

¡Oye, estamos caladas!

¡Ay, perdonen!

6 *En el autobús ...*

f ....

Menos mal que tengo mil pesetas. Yo pago.

Lo siento.

7 *Enfrente de la casa de Eva ...*

g ....

Eh, no, no puedo. Tengo que estudiar. Lo siento. Adiós.

1b Escucha la cinta y mira a ver si está correcta tu selección.

2 Ignacio escribe una carta a Eva para pedirle perdón por la cita desastrosa. No manda la carta y la rompe. Empareja las dos partes de cada frase para saber que dice la carta.

Querida Eva:

1 Te escribo para
2 Me porté
3 Por mi culpa llegamos
4 Perdóname, por mi culpa perdimos
5 Por mi culpa, la cita fue
6 Espero verte en

a mal.
b pedirte perdón por la otra tarde.
c tan tarde.
d el instituto el lunes.
e un desastre.
f el autobús y el principio de la película.

Perdóname. Saludos,

Ignacio

3a Lee la lista de reglas. ¿Qué reglas desobedece el chico? Empareja los dibujos con las reglas.

socorro

Es/Por mi culpa – *it's my fault*
perdonar – *to forgive*
sentirlo – *to be sorry*
¡Perdón! – *I'm sorry*
¡Lo siento! – *I'm sorry*
pedir perdón – *to apologise*
se prohibe – *it is forbidden*
las reglas – *rules*
desobedecer las reglas – *to break the rules*

SE PROHIBE:

1 LLEGAR TARDE A CLASE
2 DESTRUIR LA EXPOSICION
3 OLVIDARSE DE LOS DEBERES
4 MASCAR CHICLE EN CLASE
5 DORMIRSE EN CLASE
6 MOLESTAR A LOS OTROS ALUMNOS

C

D

DEBERES

3b Escribe una lista de cinco reglas para tu propio colegio.

3c Escribe una carta a tu profesor/a pidiéndole perdón por haber desobedecido alguna regla.

Querido/a profesor/a:
Le escribo para ...

13–18

5 ¿Te divertiste?

 **1a** Escucha la cinta y lee la conversación entre Ignacio y su madre. Elige los dibujos apropiados.

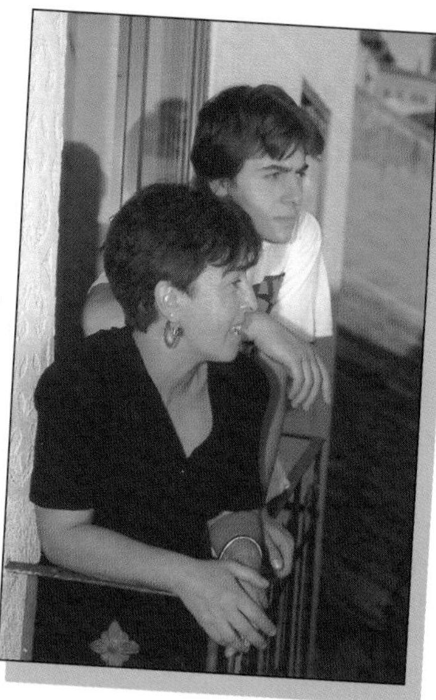

1 *¿Qué tal la cita con Eva?*
Un desastre. Estaba lloviendo.

a  **b** 

2 Llegué tarde y Eva me estaba esperando.

a  **b** 

3 Perdimos el autobús y Eva no estaba contenta.

a  **b** 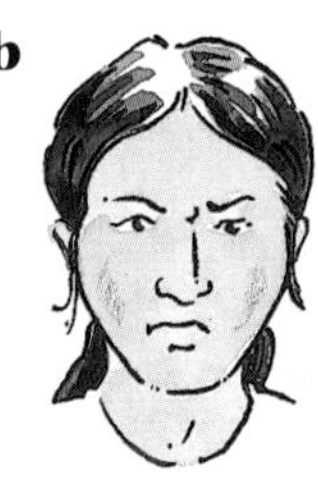

4 Compré palomitas y la caja estaba rota. Se cayeron todas por encima de Eva.

a 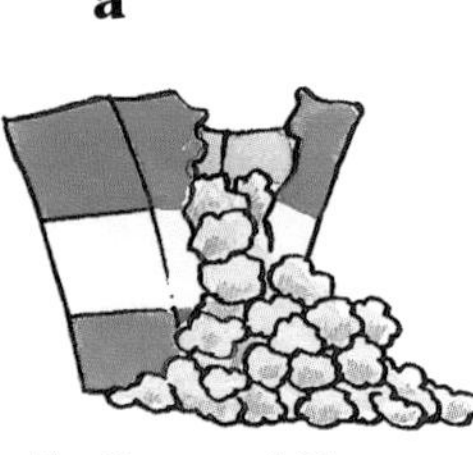 **b** 

5 Compré Fantas y se me cayeron por encima de dos señoras. Estaban furiosas.

a  **b** 

6 *¿Qué tal la película?*
Fue aburrida, y yo estaba demasiado preocupado por Eva.

a  **b** 

7 Después no pude pagar el autobús porque no tenía dinero.

a  **b** 

8 La acompañé a casa pero no quiso ir a la piscina mañana.
Dijo que tenía que estudiar. Fue una disculpa.

a  **b** 

9 *No te preocupes, Ignacio. Quizás era verdad.*

a  **b** 

GRAMÁTICA

The imperfect tense

estar – to be

estaba – I was estaba esperando – I was waiting
estabas – you were
estaba – he/she was, you (usted) were
estábamos – we were
estabais – you were
estaban – they/you were

tener – to have

tenía – I had tenía dinero – I had money
tenías – you had
tenía – he/she/you (usted) had
teníamos – we had
teníais – you were
tenían – they had

¡Ojo!

había – there was había mucha nieve – there was lots of snow
había – there were había muchos chicos – there were lots of boys

era – it was era primavera – it was spring
eran – they were eran guapos – they were attractive

¿Quieres saber más?
Mira la página 110.

1b Escribe una lista de todas las frases de la conversación que están en tiempo imperfecto.

1c Describe a tu compañero/a lo que estaba pasando en los dibujos 1, 2, 3, 5, y 8.

¿Qué estaba pasando en 1a?
Estaba lloviendo.
¿Y en 1b?
Hacía sol.

2a Lee el diario de Eva. Marca si las frases a continuación son verdaderas o falsas.

El diario de Eva

domingo, 15 de noviembre

Ayer por la tarde fui al cine con Ignacio. Me divertí mucho. Ignacio llegó tarde a la parada del autobús. Yo le estaba esperando. Perdimos el autobús. No me importaba porque podía hablar más con él. Me compró palomitas, estaban muy ricas. Caló a dos señoras con Fanta porque estaba tan nervioso. La película era estupenda. Yo pagué el autobús porque Ignacio ya no tenía dinero. Me acompañó a casa. Hoy no pude ir a la piscina con Ignacio porque tenía que estudiar.
¡Qué pena!

1 Eva no se divirtió.
2 Eva estaba esperando a Ignacio.
3 A Eva le importaba perder el autobús.
4 Eva podía hablar más con Ignacio.
5 Le gustaban las palomitas.
6 Ignacio estaba nervioso.
7 La película era muy buena.
8 Ignacio no podía pagar el autobús.
9 Eva podía ir a la piscina.
10 Eva quería ir a la piscina.

2b Corrige las frases que son falsas.

6 Acabo de ver ...

1 Escucha la cinta y empareja cada entrevista con la película correcta.

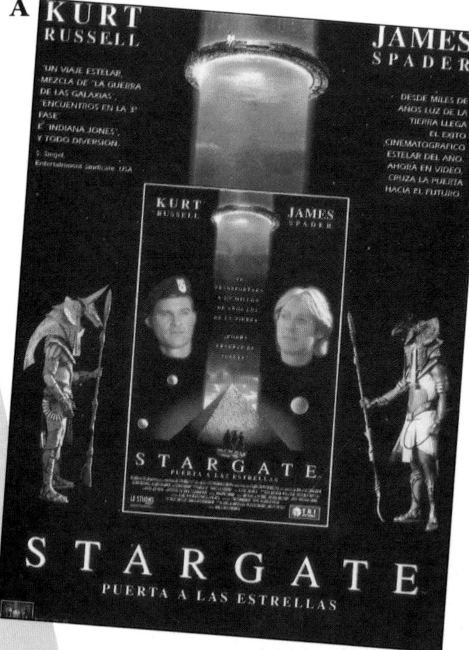

1

– El sábado pasado vi la película que se pone en el Cine Real.
– *¿Te gustó?*
– Sí, me gustó mucho.
– *¿Por qué?*
– Porque es una película de acción. Y además me gustan todas las películas de James Bond.
– *¿Crees que es la mejor película del agente 007?*
– Sí, creo que es la mejor.
– *¿Por qué?*
– Porque es más emocionante que las otras.

2

– Acabo de ver una película muy buena.
– *¿Qué tipo de película es?*
– Es una aventura, una mezcla de *La Guerra de las Galaxias* e *Indiana Jones*.
– *¿Es mejor o peor que La Guerra de las Galaxias?*
– Es mejor.
– *¿Por qué?*
– Porque la historia es más interesante.

3

– Anoche vi un vídeo, de Jim Carrey.
– *¿Qué tal estuvo?*
– Fatal, no me gustó nada.
– *¿Por qué?*
– Es una película cómica pero era muy tonta y no me hizo reír.

Socorro

acabo de – *I have just*
acabo de ver – *I have just seen*

GRAMÁTICA

Use **más ... que** and **menos ... que** for making comparisons with most adjectives:
Es más interesante que ... – it's more interesting than ...
Es menos divertido que ... – it's less amusing than ...

For better and worse, use **mejor** and **peor**:
Goldeneye es mejor que *Sólo vives una vez*.
Es la mejor película de James Bond.

2a Trabaja con tu compañero/a. Haz y contesta las siguientes preguntas:

¿Qué película acabas de ver?	Acabo de ver ...
¿Qué tipo de película es?	Es una película ... de acción/ romántica/ de aventura/ cómica/ policíaca/ de suspense/ de terror/ de dibujos animados
¿Es una película buena?	Es una película muy buena/ regular/ mala/ fatal
¿Te gustó?	Sí, me gustó./No, no me gustó. Porque es .... aburrida/ cómica/ divertida/ emocionante/ estupenda/ excelente/ fantástica/ horrible/ interesante/ romántica/ sincera/ terrible/ terrorífica/ tonta

2b Escribe los títulos de:

1 Tu película favorita
2 Tu libro favorito
3 Tu disco compacto preferido.

Trabaja con tu compañero/a y explica tus opiniones.

Para mí, la mejor película es ......

No estoy de acuerdo. Creo que ...... es la mejor película porque es más emocionante.

Bueno sí, pero ...... es más divertida.

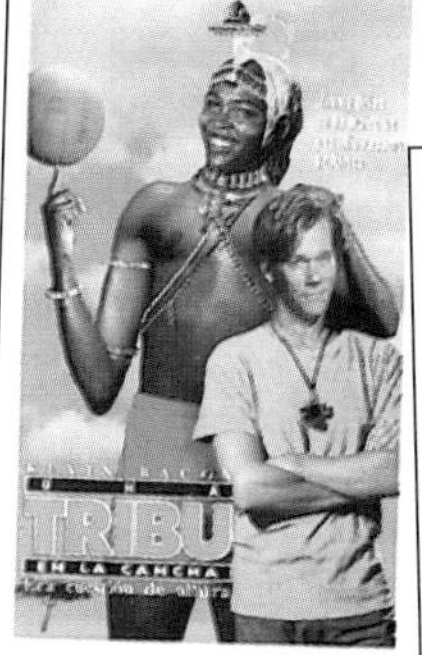

UNA TRIBU EN LA CANCHA

Dirección: Paul M. Glaser. Con Kevin Bacon. Hollywood Pictures Home Video.

El entrenador de un equipo americano de baloncesto en su afán de encontrar un superjugador se va a Africa para fichar a un altísimo guerrero de la tribu de los Winabi. Lo que no puede ni imaginar es que para lograr su ficha tendrá que jugar un partido de baloncesto a vida o muerte.

CORINA, CORINA

Dirección: Jessie Nelson. Con Whoopi Goldberg, Ray Liotta, Tina Majorino y Joan Cusack. BMG Video.

Brillante comedia, tierna, sentimental y cargada de humor en la que la popular Whoopi Goldberg encarna a una niñera que se las ingenia para conquistar el corazón de una pequeña huérfana, que acaba de perder a su madre, y ha decidido encerrarse en sí misma negándose incluso a hablar.

3 Lee sobre las películas y luego escribe un sumario del argumento (la historia) de una película, un ballet o una obra de teatro que acabas de ver, o un libro que acabas de leer.

★ Drácula, Humillado

ESTA ENÉSIMA VERSIÓN SOBRE DRÁCULA RIDICULIZA totalmente al personaje de la novela de Bram Stoker. Le presenta como un vampiro gafado y torpe al que todo le sale al revés; pero, según el autor del guión, ésta es la verdadera historia del conde, en una película en el que el argumento se ambienta en la época original, el periodo victoriano londinense. Destacan en la historia sus efectos especiales, muy conseguidos, y la interpretación del simpático Mel Brooks (actor y director).

Mel Brooks contra el vampiro.

Drácula, un muerto muy contento y feliz, **de Mel Brooks. Con Leslie Nielsen y Ami Yasbeck.**

Socorro

el argumento – *the plot*
se trata de – *it is about*
tiene lugar en – *it takes place in*
los personajes principales – *the main characters*
el autor – *author*
el director – *director*

7 Un actor famoso

UNA ENTREVISTA CON ANTONIO BANDERAS

El actor del momento

ANTONIO BANDERAS es uno de los actores más filmados del momento. Parece que sale en todas las grandes películas de actualidad. Se hizo famoso primero en España luego tuvo gran éxito en Hollywood. A continuación nos habla de su vida.

¿Eres español, verdad, Antonio?
Sí, soy español.

¿De qué parte de España eres?
Soy del sur, de Andalucía.

¿Dónde vives actualmente?
Vivo en Estados Unidos.

¿Cómo empezó tu carrera de actor?
Bueno, desde pequeño me interesaba el teatro y quería ser actor. Vivía con mi familia en un pueblo cerca de Málaga y a los 14 años empecé a actuar en una compañía de teatro. Trabajábamos en la calle por ahí en los pueblos. Ganábamos muy poco, para los gastos nada más. Pero lo hacíamos porque nos gustaba. Luego, cuando tenía 18 años, decidí que quería ser actor de profesión y fui a Madrid.

¿Qué hacías en Madrid? ¿Era fácil encontrar trabajo?
No, no era nada fácil. Trabajaba en el teatro pero ganaba muy poco. Era muy pobre. Si tenía

1 Escucha y lee la entrevista con Antonio Banderas.

2 Contesta las preguntas.

1. ¿De qué nacionalidad es Antonio Banderas?
2. ¿De qué parte de España es?
3. ¿Dónde vive ahora?
4. ¿Cuál es su profesión?
5. ¿Qué quería ser cuando era pequeño?
6. ¿Dónde vivía entonces?
7. ¿Qué empezó a hacer cuando tenía 14 años?
8. ¿Dónde trabajaba?
9. ¿Cuánto dinero ganaba?
10. ¿Cuántos años tenía cuando fue a Madrid?
11. ¿Por qué era difícil su vida en Madrid?
12. ¿Cómo empezó a trabajar en el cine?
13. ¿Qué problema tenía cuando fue a trabajar en Estados Unidos?
14. ¿En qué películas ha trabajado Antonio Banderas recientemente?

que ir por ejemplo a una audición, solía ir a pie porque no tenía dinero para el autobús.

¿Cómo empezaste a trabajar en el cine?
Conocí al director de cine, Pedro Almodóvar. Me dio un papel en *Laberinto de Pasiones*. Salió bien y después salía en muchas de sus películas.

Más tarde fuiste a Estados Unidos. ¿Cómo te fue al principio?
Al principio era difícil porque hablaba muy poco inglés, pero como tenía mucho trabajo, pues tenía que aprender muy rápido.

Últimamente parece que sales en todas las películas de éxito: *Filadelfia, Entrevista con el vampiro, Desperado, Evita, Zorro ...* ¿Qué te parece ahora tu carrera?
Estoy muy contento. Me ha ido muy bien.

¿Te gusta trabajar tanto?
Mucha gente me pregunta esto. Sí, me encanta. Creo que debes aprovecharte de todas las oportunidades que se te presentan en la vida. ■

3 Trabaja con tu compañero/a. Haz preguntas como:

¿Dónde vivías cuando eras pequeño/a?
¿Cómo ibas al colegio?
¿Cuáles eran tus platos favoritos? ¿Qué comida odiabas?
¿Cómo se llamaban tus mejores amigos?
¿Qué tipo de juguetes tenías?
¿A qué jugabas?
¿Cuáles eran tus programas favoritos de televisión?
¿De qué tenías miedo?
¿Tenías animales en casa? ¿Qué animales tenías?
¿Qué querías ser en el futuro?

4 Habla a la clase sobre cómo eras cuando tenías 5 años.

5 Escribe sobre la vida y la carrera del actor Antonio Banderas.

8 Cualidades personales

1 Escucha y lee.

Entrevistas

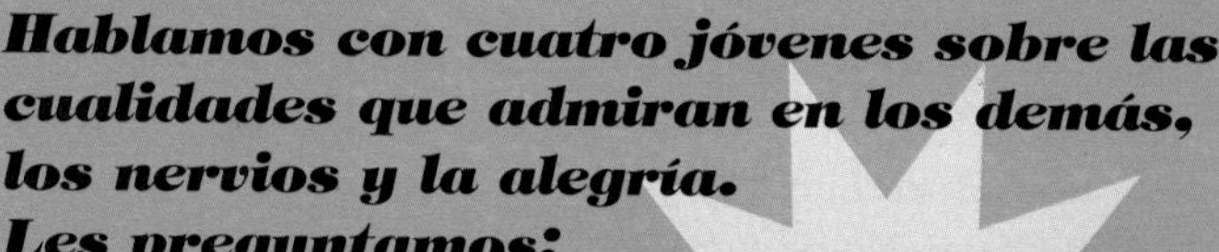

Hablamos con cuatro jóvenes sobre las cualidades que admiran en los demás, los nervios y la alegría.
Les preguntamos:
¿A qué personas admiras y por qué?
¿Cómo debe ser un buen amigo?
¿Qué te pone nervioso?
¿Cuál es tu mayor defecto?
¿Cuándo te sientes feliz?

Beatriz Vega

15 años

Admiro a Bianca Jagger porque ayuda a los pobres y a los enfermos.

Para mí un buen amigo debe ser sincero, simpático y leal.

Me ponen nerviosa los exámenes y tener que hablar delante de mucha gente.

Creo que mi mayor defecto es que soy tímida.

Me siento feliz cuando saco buenas notas en el colegio.

Alejandro Villanueva

15 años

Admiro a Ronaldo porque es un futbolista estupendo.

Para mí un buena amigo tiene que ser de confianza, inteligente y honrado.

Me pone nervioso hablar con gente que no conozco y cuando me siento mal en el colegio.

Mis mayores defectos: soy egoísta e impaciente.

Me siento alegre cuando juego bien al fútbol.

Anahí Mejías

16 años

Admiro a John Lennon porque era un músico genial.

Un buen amigo es generoso, positivo y amable.

Me pone nerviosa ir al médico o al dentista.

Mi mayor defecto es que soy un poco perezosa.

Me siento feliz los fines de semana cuando no tengo que levantarme temprano.

Juan Padilla

14 años

Admiro a mi madre porque trabaja mucho y tiene mucha paciencia.

Un buen amigo tiene que ser alegre, sensible y comprensivo.

Me ponen nervioso las peleas y la gente agresiva.

Pienso que mi mayor defecto es que soy desordenado.

Me siento feliz cuando estoy con mis amigos.

2 Lee lo que dijeron Beatriz, Juan, Anahí y Alejandro y contesta las siguientes preguntas.

1 ¿Quién tiene miedo de ir al dentista?
2 ¿A quién admira Beatriz y por qué?
3 ¿Cómo es un buen amigo para Anahí?
4 ¿Cuándo se siente nervioso Alejandro?
5 ¿Quién cree que es perezosa?
6 ¿Cuándo se siente feliz Juan?

3 Trabaja con tu compañero/a. Haz y contesta las preguntas de las entrevistas de la actividad 1.

4a Mira el vocabulario. Completa las frases con las palabras apropiadas.

Para mí un buen amigo debe ser ...
Un buen amigo no debe ser ...

aburrido
agradable
alegre
amable
ambicioso
antipático
bonito
bueno
cariñoso
cruel
divertido
egoísta
elegante
falso
feo
fuerte
generoso
guapo
honrado
impaciente
inteligente
interesante
leal
nervioso
optimista
orgulloso
paciente
perezoso
perfecto
pesimista
popular
positivo
práctico
responsable
rico
sencillo
simpático
sincero
tímido
trabajador
valiente

acuérdate

Tienes que usar las formas apropiadas de los adjetivos para describir a personas femeninas.

4b Escribe sobre tres personas a quién admiras.

ejemplo Admiro a ... porque es ...

mi madre
mi mejor amigo/amiga
mi perro/gato/jerbo
mi hermano/hermana
mi profesora de español
Alan Shearer/Nelson Mandela/Gloria Estefan

4c Describe a un personaje histórico a quién admiras.

ejemplo Admiro a Martin Luther King/John Lennon porque era ...

9 Los consejos de la Tía Dolores y el Tío Arturo

Los consejos

Soy un joven de 15 años. Me gusta mucho una chica de mi clase. Creía que yo le gustaba a ella. Estaba muy nervioso, la película era terrible, no tenía bastante dinero y todo lo hacía mal. La chica no quería verme al día siguiente. Me dijo que tenía que estudiar. ¿Qué debo hacer?
Un chico desesperado de Segovia

Pero, ¿estás seguro que fue tan mal la cita? ¿Le preguntaste si se divirtió? Si estás seguro que ella no estaba contenta, debes disculparte. Escríbele una nota o mejor, llámala por teléfono. Pídele perdón por avergonzarla. Si tienes suficiente dinero cómprale un pequeño regalo: un libro o un osito de peluche. Si la chica es buena amiga te perdonará.
Tía Dolores

No vale la pena estar desesperado simplemente porque no te salió bien la cita. Lo que te pasa es que no tienes confianza en ti. Pregúntale una vez más si quiere salir contigo. Si dice que no, busca otra chica.
Tío Arturo

Soy una chica de 13 años y tengo un problema muy gordo. No me llevo bien con mis padres. No me dejan salir con mis amigos por las noches. Las raras ocasiones en que me dejan salir tengo que volver antes de las diez. Sólo me dan mil pesetas a la semana que es mucho menos que la mayoría de mis amigas. Me gustaría llevar ropa que está a la moda pero mi madre sólo me compra ropa práctica. Siempre estamos discutiendo. Me tratan como a una niña. ¿Qué debo hacer?
Pepita, Santiago de Compostela

Todos los padres quieren proteger a sus hijos de los peligros del mundo adulto: las drogas, la violencia urbana, el embarazo, el SIDA ... El problema para ellos es saber cómo ayudar a sus hijos a llegar a ser adultos responsables. Habla con ellos tranquilamente, sin discutir y dales tu punto de vista. Demuestra que eres una persona razonable y te darán más independencia.
Tía Dolores

Estoy de acuerdo con tus padres. Sólo tienes 13 años y por lo tanto eres una menor. Los padres que no se preocupan de dónde o con quién están sus hijos no son responsables. En mi opinión tienes mucha libertad para una chica tan joven. Tienes suerte de tener padres que se preocupan por ti y que saben el valor del dinero. Confórmate.
Tío Arturo

Tengo un problema muy gordo. Soy una chica de 16 años y tengo un complejo de inferioridad del que no me puedo deshacer. Sólo mido 1m 60cm y peso 65 kilos. Los chicos no se interesan por mí. ¿Hay alguna solución?
Una desesperada de Málaga

Es completamente normal estar preocupada por tu cuerpo a tu edad. Casi todas las jóvenes encuentran defectos en su físico. Eres como eres y si hay personas que dan más importancia a tu aspecto que a tu personalidad, pues no vale la pena conocerles.
Tía Dolores

Con la dieta adecuada, no sólo conseguirás sentirte bien psicológicamente, sino también físicamente. Con una buena dieta también puedes rebajar esos kilitos. Una alimentación sana se compone de mucha fruta, verduras y cereales sin olvidar la leche desnatada. Y no puede faltar un poco de ejercicio todos los días. Tienes que hacer un pequeño esfuerzo para adelgazar.
Tío Arturo

Soy un chico de 13 años y te escribo para plantearte mi problema: resulta que hay un grupo de chicos en el cole que me hacen la vida imposible. Hacen todo lo que pueden por torturarme psicológicamente: me quitan los libros, me hacen darles todo el dinero que llevo encima, me persiguen por la calle con gritos obscenos, se burlan de mí en clase. No puedo dormir ni estudiar y tengo miedo de ir al colegio. Me siento tan solo. No sé que hacer.
Desesperado, León

Tienes que hablar con tus padres y tus profesores inmediatamente. ¿Tienes confianza en algún profesor en particular? Confía en él. No debes tener miedo de denunciar a esos chicos, ellos también necesitan ayuda. Tus padres deben ponerse en contacto con tus profesores y pedir que el colegio ponga fin a esta situación intolerable.
Tía Dolores

Estoy totalmente de acuerdo con la tía Dolores. Si no hablas con alguien no hay solución.
Tío Arturo

1 Lee las cartas y los consejos. ¿Qué respuesta prefieres en cada caso? ¿Por qué? Empieza tus respuestas de estas maneras:

- Estoy de acuerdo con la Tía Dolores cuando dice que ... porque ...
- El Tío Arturo tiene razón cuando dice que ... porque ...
- En mi opinión ...
- Yo creo que ... porque ...

2 Escribe consejos alternativos para cada problema. Empieza tus consejos de esta manera:

- (Pepita) debe ... porque ...

3 Imagina que un/a amigo/a tiene uno de los siguientes problemas. ¿Cómo aconsejarías a tu amigo/a?

- Soy gordo/a, pero todo el mundo dice que estoy demasiado delgado/a.
- Estoy loco/a por un/a chico/a pero no me hace caso.
- Mi amigo/a está tomando drogas.
- Mis padres creen que mi novio/a es demasiado mayor para mí.
- Por culpa de mis notas, tengo serios problemas con mis padres.

<table>
<tr><td rowspan="2">Pienso que
Estoy seguro de que
Creo que</td><td>tienes que
debes</td><td colspan="2">hablar con tus padres
tener más confianza en ti
disculparte
pedir perdón
no tener vergüenza
pensar en el futuro
no tomarlo en serio
cuidar tu salud
ponerte en forma
cambiar de amigos
ser más sociable
concentrarte en los estudios
ahorrar dinero</td></tr>
<tr><td>tienes/no tienes razón
estás

eres</td><td>
equivocado/a
enfermo/a
en peligro
demasiado
muy</td><td>

tímido/a
nervioso/a
generoso/a
juergista</td></tr>
<tr><td colspan="4">Estoy/No estoy de acuerdo</td></tr>
</table>

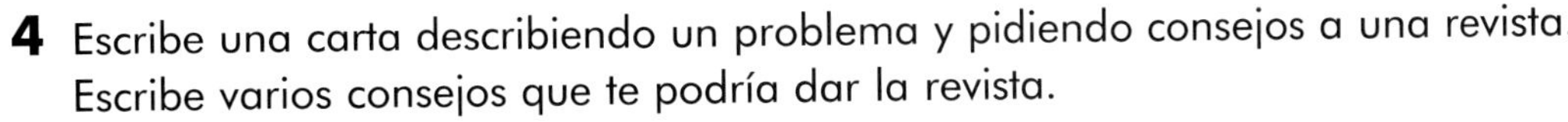

p

4 Escribe una carta describiendo un problema y pidiendo consejos a una revista. Escribe varios consejos que te podría dar la revista.

19–24

1a Escucha la cinta y aprende a cantar la canción.

LA PESADILLA

Estaba lloviendo
yo estaba leyendo
una historia de horror.
Tormenta había
frío hacía
y yo sentía terror.

Era de noche.
Eran las doce.
En la cama yo estaba.
Ruidos oía,
pasos había.
Yo no me levantaba.

Un búho se oía,
una sombra se veía.
Y de miedo yo temblaba.
¿Será un vampiro?
¿Qué era ese ruido?
Con miedo yo sudaba.

Un monstruo se acercaba.
Paralizado yo estaba,
gritar yo no podía.
En el brazo me tocaba,
con su mano me agarraba.
¿Qué era lo que me decía?

Levántate de la cama,
son las ocho de la mañana.
Vamos. Tienes que prepararte.
¿Quieres un café?
¿O un vaso de leche?
Vamos, o al colegio llegas tarde.

1b Contesta las preguntas.

1 ¿Por qué tenía miedo la chica?
2 ¿Quién era el monstruo?
3 ¿Qué le decía?

2 Escribe una descripción de una pesadilla. Utiliza estas palabras:

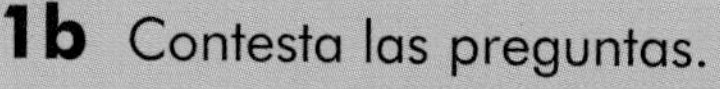

estaba, era, oía, había, tenía, ... me tocaba, veía, sentía

RESUMEN

Now you can:

- make arrangements to go out with a friend — ¿Quieres ir al cine conmigo este fin de semana? ¿Cuándo quieres ir? ¿Dónde nos encontramos?
- understand recorded messages giving times and prices of films — Hoy en la primera sesión a las cuatro de la tarde se proyecta la película *El sargento Bilko*.
- buy cinema tickets — Dos entradas para *El Zorro* a las siete y media. ¿Cuánto es? ¿A qué hora termina la película?
- understand film ratings — No apto para menores de 12 años. Para mayores de 18 años.
- give your opinions on the best and worst films — Creo que la mejor/peor película del año es *Misión imposible*.
- apologise when things go wrong — Perdóname, por mi culpa perdimos la película.
- describe past events — Estaba lloviendo. No tenía dinero. Tenía que estudiar.
- make comparisons — *Stargate* es más interesante que *La Guerra de las Galaxias*. *Los Picapiedra* es menos divertido que *Mi colega Dunston*.
- describe a film you have just seen or a book you have just read — Acabo de ver una película muy buena. Se llama *El Día de la Independencia*. Es muy emocionante. Tiene lugar en los Estados Unidos.
- talk about personal qualities with regard to yourself and others — Admiro a John Lennon porque era un músico genial. Para mí un buen amigo debe ser sincero, simpático y leal. Creo que mi mayor defecto es que soy tímido.
- explain personal problems and situations — No me llevo bien con mis padres. ¿Qué debo hacer? Hay un grupo de chicos que me hacen la vida imposible. No puedo dormir ni estudiar.
- suggest solutions to problems — Pienso que tienes que hablar con tus padres. Creo que debes tener más confianza en ti.

En la calle principal

1 San Valentín

1a Escucha la cinta y lee. ¿Qué tiendas visita Ignacio? ¿Qué no compra?

GRAMÁTICA

The future tense

ir – to go

iré – I will go
irás – you (tú) will go
irá – he/she/it/you (usted) will go
iremos – we will go
iréis – you (vosotros) will go
irán – they/you (ustedes) will go

poder – to be able (Irregular verb)

podré – I will be able
podrás – you (tú) will be able
podrá – he/she/it/you (usted) will be able
podremos – we will be able
podréis – you (vosotros) will be able
podrán – they/you (ustedes) will be able

¿Quieres saber más?
Mira la página 111.

1b Contesta las preguntas.

1 ¿Qué no le gustará a Eva?
2 ¿De qué no tendrá bastante Ignacio?
3 ¿Qué le estará demasiado pequeño a Eva?
4 ¿Qué no probará Ignacio?
5 ¿Qué no costará mucho dinero?

2 Trabaja con tu compañero/a. Mira las fotos. ¿En qué tiendas podrás comprar estas cosas?

ejemplo

¿Dónde podrás comprar unos zapatos?

En la zapatería.

3 Imagina que vas de compras a tu calle principal. ¿A qué tiendas irás? ¿Qué comprarás? Escribe una lista.

ejemplo

Iré a la tienda de discos. Compraré el disco compacto de Oasis.

2 Un regalo

1 Escucha y lee. Luego contesta las preguntas.

1 ¿Qué quiere comprar Ignacio? ¿Para quién?
2 ¿Qué cosas le enseña el dependiente en la tienda?
3 ¿Cuál es el color preferido de Eva?
4 ¿Qué compra Ignacio al final?
5 ¿Por qué no le compra algo en verde?

2 Trabaja con tu compañero/a. Por turnos, haz los papeles del dependiente e Ignacio y lee el diálogo en la actividad 1.

3 Escucha la cinta y mira el dibujo. ¿Cuáles son las cosas del escaparate que mencionan los chicos?

GRAMÁTICA

Este and **ese** correspond to *this* and *that*. In Spanish there is also **aquel**, which means *that*, to describe something further away.

These words agree with the items they describe:

este reloj	ese cinturón	aquel sombrero
esta camisa	esa bolsa	aquella gorra
estos vaqueros	esos pendientes	aquellos zapatos
estas blusas	esas gafas de sol	aquellas sandalias

¿Quieres saber más?
Mira la página 106.

4 Trabaja con tu compañero/a. Dile tres cosas del dibujo que te gustaría comprar y tres cosas que no te gustaría comprar.

> Me gustaría comprar esas gafas de sol, pero no me gustaría comprar aquel gorro.

5 Elige las palabras apropiadas para escribir una descripción de un regalo que tienes en casa.

Socorro

de algodón – *cotton*
de cerámica – *pottery*
de chocolate – *chocolate*
de cuero – *leather*
de lana – *wool*
de madera – *wood*
de plástico – *plastic*
de seda – *silk*

ejemplos

Mis padres fueron a Londres y me compraron un sombrero del típico 'bobby' inglés. Es negro y es de plástico. Es feo pero es divertido.

Mis tíos fueron de vacaciones a Tailandia y me trajeron pijamas de seda. Son de color naranja y negro. ¡Son muy elegantes!

Cuando era pequeña tenía un amigo que se llamaba Dani. Me regaló un gato de cerámica pequeño. Lo tengo todavía y creo que me trae suerte.

3 ¿Te gusta ir de compras?

Los almacenes más importantes en España son el Corte Inglés y Galerías Preciados. Se encuentran en casi todas las ciudades.

A

B

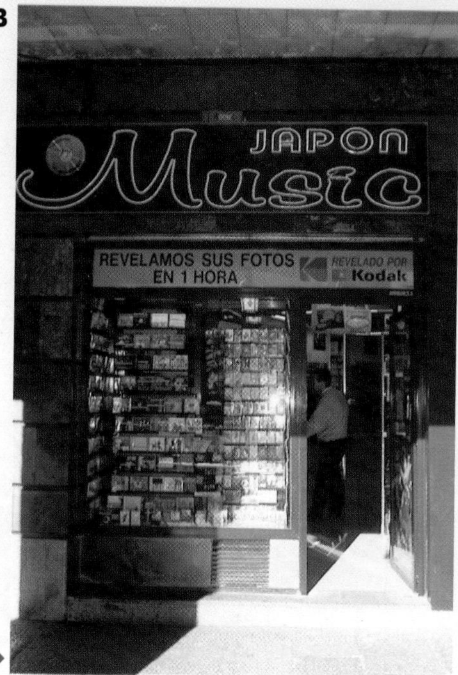

Si eres aficionado a la música puedes pasar el tiempo de manera muy agradable en una tienda de discos mirando los discos compactos y las cintas que te gustaría comprar.

1 Escucha la cinta. ¿Qué tipo de tiendas prefiere cada persona?

2 Escucha y lee la entrevista. Luego contesta las preguntas.

– ¿Te gusta ir de compras?
– *Sí, me gusta mucho.*
– ¿Qué tipo de tiendas prefieres?
– *Prefiero las tiendas de moda y también me gustan los grandes almacenes.*
– ¿Por qué?
– *Porque me gusta ver la ropa que hay. No siempre compro cosas pero me gusta mirar.*
– ¿Cuántas veces al mes vas de compras?
– *Voy casi todas las semanas.*
– ¿Cómo son las tiendas de tu barrio?
– *No son muy buenas. Prefiero ir al centro de la ciudad porque tiene tiendas estupendas.*
– ¿Con quién prefieres ir de compras?
– *Prefiero ir con mis amigas, pero a veces voy con mi madre o con mis hermanas.*

1 ¿Qué piensa la chica de ir de compras?
2 ¿Qué tipo de tiendas prefiere? ¿Por qué?
3 ¿Cuántas veces al mes va de compras?
4 ¿Le gustan las tiendas de su barrio o prefiere las del centro de la ciudad? ¿Por qué?
5 ¿Con quién va de compras?
6 ¿Con quién prefiere ir?

acuérdate

siempre – always
nunca – never
a veces – sometimes
normalmente – usually
todos los días – every day
todas las semanas – every week
una vez a la semana – once a week
dos veces al mes – twice a month

¿Te gusta la moda? Puedes pasarlo bien mirando la ropa elegante y muy de moda que hay en las boutiques.

C

D

¿Te encanta leer? Puedes pasar el rato en una librería.

¿Te gustan los deportes y la ropa deportiva? Pues a ti te encantan las tiendas de deportes, ¿no?

E

6 **3** Trabaja con tu compañero/a. Haz y contesta las preguntas de la entrevista.

4 Discurso. Lee las opiniones de los jóvenes. Luego prepara tus propias ideas para un discurso sobre las compras.

Prefiero las tiendas pequeñas porque tienen más estilo y porque los dependientes son más simpáticos.

Detesto las tiendas y odio ir de compras. Es muy aburrido y para mí es una pérdida de tiempo.

Me encanta ir de compras cuando hay rebajas, porque me gusta encontrar gangas.

Odio los grandes centros comerciales. Son modernos y feos y hay demasiada gente.

Nunca compro cosas cuando hay rebajas porque no puedes cambiarlas.

Mis tiendas preferidas son las librerías y las tiendas de discos.

Me gustan los grandes almacenes como *El Corte Inglés* o *Galerías Preciados* porque tienen de todo a buenos precios.

Es divertido ir de compras con mis amigos. A veces no compro nada, pero no importa.

Por correo

1 Escucha la cinta y lee. ¿Qué compra Ignacio? ¿Cuánto es en total?

En el estanco ...

Socorro

el estanco – *government-run shop which sells stamps and tobacco, also postcards, some stationery and sweets*

2a Escucha la cinta y mira los dibujos. Escribe el orden en el que oyes mencionar cada grupo de objetos.

Socorro

unos sellos
unas tarjetas postales
unos sobres
unos caramelos
un chicle

7 **2b** Escucha otra vez. ¿Cuánto cuesta cada cosa? ¿Cuánto cuesta cada grupo de cosas en total?

2c Trabaja con tu compañero/a. Compra los artículos en los dibujos.

Buenos días. ¿Qué desea?
Un chicle por favor.
¿Algo más?

3a Pregunta a tu compañero/a dónde hay un buzón.

3b Mira las horas de recogida y contesta las preguntas.

1 ¿Hay recogida por la mañana?
2 ¿Y por la tarde? ¿A qué hora?
3 ¿Hay recogida los sábados? ¿A qué hora?

4 Ignacio necesita ir a correos a enviar el regalo a Eva. Mira las ventanillas. ¿A qué ventanilla debe ir?

socorro

correos – *post office*
el buzón – *post box*
la recogida – *collection*
la ventanilla – *window*

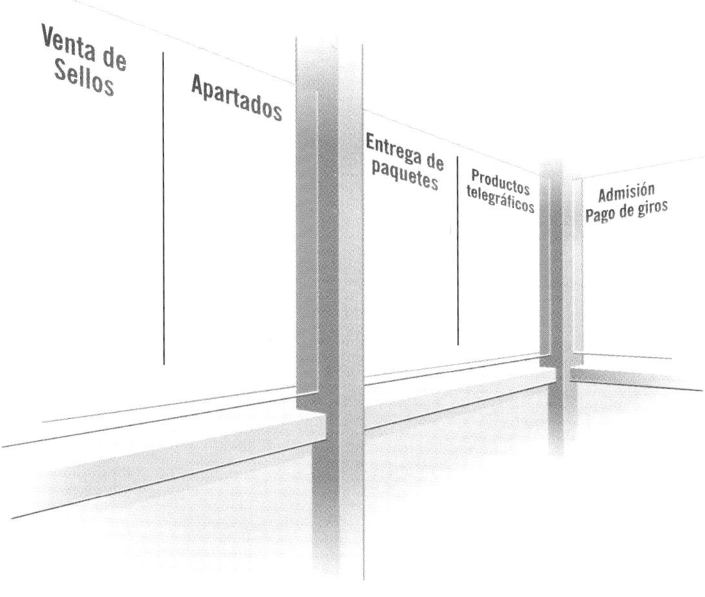

5 Mira el anuncio del sobre y contesta las preguntas.

1 ¿Qué promete hacer el servicio Postal Exprés?
2 ¿Qué tipo de sobre es?

25–30

Quiero cambiarlo

1 Escucha la cinta y lee. Luego completa las frases.

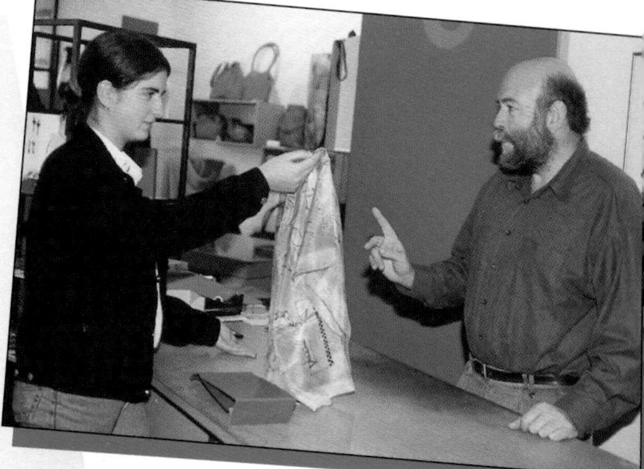

– Hola, buenos días. ¿Puedo ayudarle?
– *Sí. Es que un amigo me regaló este pañuelo.*
– Ah, sí, me acuerdo.
– *El problema es que no me gusta el color.*
– A ver. ¿Tiene usted el recibo?
– *No, no lo tengo porque fue un regalo.*
– ¿Quiere cambiarlo por otro pañuelo?
– *No, prefiero un reembolso.*
– Espera un momento, voy a ver si es posible
... No, lo siento, no puedo darle un reembolso.
– *¿Por qué?*
– Porque el chico lo compró en las rebajas.

1 Eva quiere devolver el .... a la tienda.
2 No le gusta el ....
3 No tiene el .... porque fue un regalo.
4 No quiere .... por otro pañuelo.
5 Prefiere un ....
6 La tienda no puede darle un reembolso porque Ignacio compró el pañuelo en las ....

GRAMÁTICA

Lo and la can be used to replace nouns in a sentence.
Lo is for masculine words and la is for feminine words.

Quiero cambiar este pañuelo →	Quiero cambiarlo.
¿Tiene Ud el recibo?	No, no lo tengo.
¿Vas a comprar la pulsera?	No, no voy a comprarla.

¿Quieres saber más?
Mira la página 106.

2 Vuelve a leer el diálogo. Elige las palabras de la lista que corresponden a las palabras **lo** y **la** en las siguientes frases.

No, no **lo** tengo.	el reembolso/el recibo
¿Quiere cambiar**lo**?	el chico/el pañuelo
El chico **lo** compró en las rebajas.	el pañuelo/el dinero

3 Trabaja con tu compañero/a. Imagina que quieres cambiar o devolver dos de las cosas en los dibujos. Por turnos haz los papeles del dependiente y del cliente. Completa el diálogo.

– Hola, buenos días. ¿Puedo ....?
– *Quiero cambiar este/esta ....*
– ¿Por qué quiere ....?
– *Porque .... (no me gusta, no me gusta el color, es demasiado grande/pequeño/pequeña, no funciona, ya tengo uno/una exactamente igual)*
– ¿Tiene usted el ....?
– *Sí, tome.*
– ¿Quiere .... por otro/otra ....?
– *Sí, quiero ..../No, prefiero................*

4 Escucha la cinta.

¿Qué cosas quieren cambiar los clientes?
¿Cuáles pueden cambiar?
¿Cuáles no pueden cambiar y por qué?

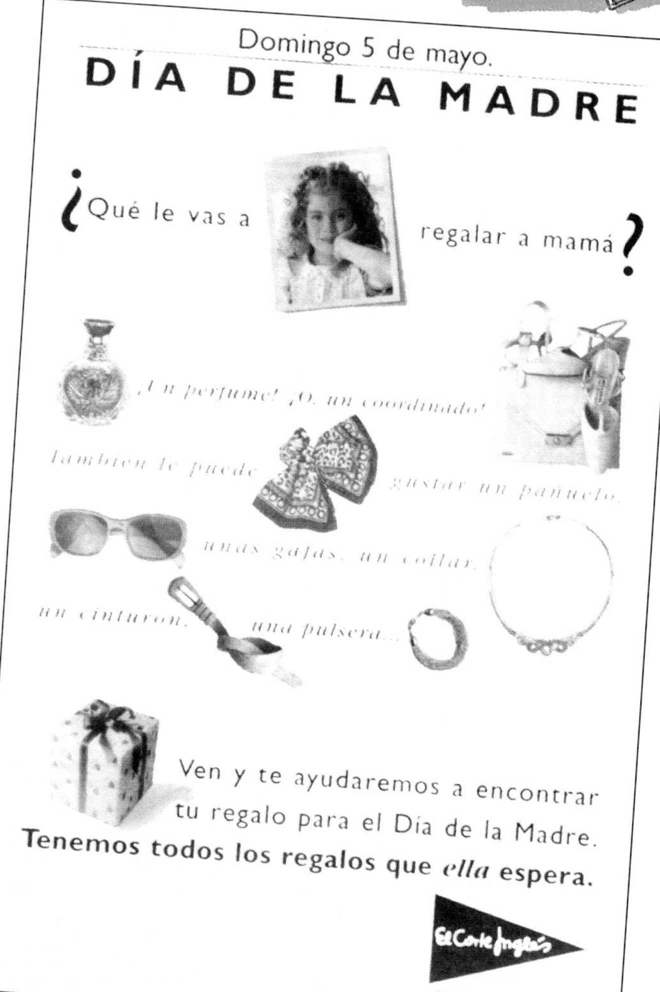

5 Lee el anuncio y contesta las preguntas.

1. ¿Cuándo es el día de la madre en España?
2. ¿Qué tipo de regalos hay en el anuncio?
3. ¿Dónde puedes comprarlos?
4. ¿Qué te gustaría regalarle a tu madre?

6 En autobús

Estimada Eva:

Vendrás a mi casa el viernes por la tarde, ¿verdad? Tienes que tomar el autobús de la línea A que va a la Plaza Mayor. Tienes que bajarte en la Calle Principal, enfrente del Corte Inglés. Te esperaré en la parada del autobús a las seis y media.

Tengo muchas ganas de verte.

Hasta el viernes.

Ignacio

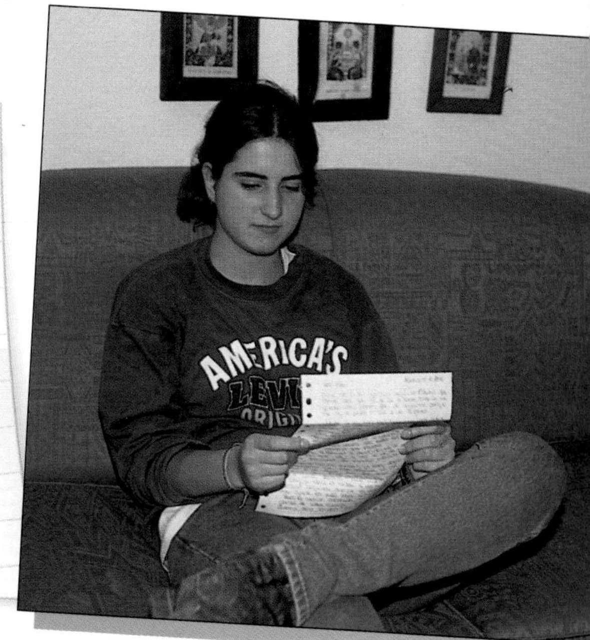

1 Escucha la cinta y lee la carta.

2 Escucha la cinta y mira la carta otra vez. Eva sale de casa pero se olvida de llevar la carta de Ignacio. Ayúdala a recordar las instrucciones correctas. Escribe la información que falta.

3 Escucha y lee. Luego pon los dibujos en el orden correcto.

A

B

4 Trabaja con tu compañero/a. Pídele cómo llegar a su casa:
a) desde el instituto, y **b)** desde la estación de ferrocarril.
Dile cómo llegar a tu casa.

Estoy en ... ¿Cómo llego a tu casa? ¿Está lejos?	Está muy/bastante	lejos/cerca.
¿Puedo ir a pie o tengo que tomar un ...?	Puedes venir	a pie/en metro/bicicleta/ tren/autobús/taxi
¿Dónde tomo el ...?	Tienes que tomar el	autobús/tren etc. en ....
¿Dónde me tengo que bajar?	Tienes que bajarte	en la parada enfrente de/ al lado de/cerca de ... en la estación de ...

Estoy en el aeropuerto de Heathrow.
¿Cómo llego a tu casa?

AIRPORT

C

D

7 Por teléfono

1 ¿Qué debe hacer Eva para llamar desde una cabina telefónica? Pon las frases en el orden correcto.

- **a** Debe esperar el tono.
- **b** Debe colocar las monedas en la ranura.
- **c** Debe marcar el número.
- **d** Debe descolgar el auricular.
- **e** Debe marcar el indicativo.
- **f** Debe utilizar monedas de 10 ptas, 25 ptas y 100 ptas.

socorro

Debe... – *you* (usted) *should...*
esperar – *to wait*
marcar – *to dial*
utilizar – *to use*
monedas – *coins*
colocar – *to place*
la ranura – *slot*
el indicativo – *area code*
el auricular – *receiver*

2 Explica a tu compañero/a cómo llamar por teléfono desde una cabina en España.

¿Qué debo hacer primero?

Debes colocar la moneda.

3 Escribe una nota para un/a amigo/a español/a explicándole cómo llamar desde una cabina británica.

4 Lee el anuncio y escribe una nota explicando a un/a amigo/a español/a cómo llamar a España desde el Reino Unido.

COMUNICACIONES INTERNACIONALES DE TELEFONICA

ESPAÑA DIRECTO

La mejor forma de llamar a España desde el extranjero.

Cuando viajes por el extranjero, llama a España a través del servicio ESPAÑA DIRECTO de TELEFÓNICA.
No necesitarás monedas, porque la llamada la paga en España quien la recibe. Tampoco necesitas saber idiomas, porque te atienden en castellano. Y es muy fácil de utilizar: sólo tienes que marcar el código correspondiente en cada país y seguir las instrucciones.

ESPAÑA DIRECTO es más barato que el Cobro Revertido.
La llamada tiene el mismo precio a cualquier hora y día de la semana. Y funciona desde teléfonos públicos o privados.
No salgas al extranjero sin la guía de códigos de ESPAÑA DIRECTO.
Para más información llama al **900 105 105**. **Es gratis.**

Telefónica

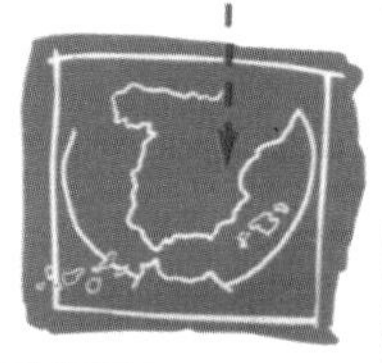

8 Calendario de fiestas

1a Escucha y lee.

1b Busca las palabras que no conoces en el diccionario.

ENERO

El 1 de enero es el **Día de Año Nuevo**.
El 6 de enero es **el Día de Reyes** en España. La noche del día 5 los niños dejan sus zapatos en el balcón porque creen que los Reyes les dejarán regalos.

FEBRERO

Carnaval se celebra durante la semana del Martes Gordo y el Miércoles de Ceniza. Se celebra más en las Islas Canarias, en Cádiz en el sur de España y en algunas partes de América Latina. La gente se disfraza y hay bailes y fiestas.

MARZO

Las Fallas de Valencia tienen lugar en marzo. Es una tradición construir figuras grandes de cartón y madera que se queman en la noche del fuego. Hay desfiles, fuegos artificiales y hogueras.

ABRIL

Semana Santa se celebra en todas partes de España y de América Latina pero las celebraciones más impresionantes son en Sevilla. Hay procesiones religiosas durante toda la semana.
El 21 de abril es **el Día del Libro y la Rosa** en Barcelona porque es el día del santo patrono de la ciudad, Sant Jordi (San Jorge). Los hombres le dan una rosa roja a su enamorada. Las mujeres les regalan un libro.

MAYO

El 5 de mayo es **el Día de la Madre** en España. Los niños le dan un regalo a su madre para decir: «Te quiero».
El 15 de mayo es **la fiesta de San Isidro** en Madrid. Hay verbenas en casi todos los barrios de la ciudad. Una verbena es un baile que tiene lugar al aire libre. Hay bandas que tocan música.

2 Busca la fiesta apropiada en el calendario para cada frase.

1. Es una tradición construir figuras de cartón y hay hogueras y fuegos artificiales.
2. Los niños dan regalos a su madre.
3. Hay comida especial: hay pan de muerto y esqueletos hechos de azúcar.
4. Hay un baile al aire libre y hay una banda que toca música.
5. La gente se disfraza.
6. Las familias se reúnen para una comida especial.
7. Es una tradición hacer trampas.
8. Los hombres dan una flor a su enamorada.
9. Es una fiesta religiosa importante.
10. Los niños dejan sus zapatos en el balcón.

8 **3** Emplea el vocabulario del calendario de fiestas para completar las frases en la ficha.

JUNIO

A principios de junio se celebra **Corpus Cristi** en todas partes de España y de América Latina. Es una fiesta religiosa importante con muchos desfiles.

El 24 de junio es **el Día de San Juan** y coincide, en el hemisferio norte, con el día más largo del año (el 21 de junio), que se celebra desde la era precristiana. Se celebra en Puerto Rico, en el Caribe, con un picnic en la playa desde medianoche hasta el amanecer.

JULIO

El 7 de julio se celebra la fiesta de **San Fermín** en Pamplona. Hay toros que corren por las calles de la ciudad y la gente corre delante de ellos. Puede ser bastante peligroso.

AGOSTO

En Murcia y Alicante hay fiestas de **Moros y Cristianos** con batallas entre gente disfrazada para representar una etapa en la historia de la España de los tiempos de El Cid.

SEPTIEMBRE

Hay fiestas de **la cosecha** y de **la vendimia** en España.

OCTUBRE

El 12 de octubre es fiesta en todas partes de las Américas. Se llama **el Día de la Hispanidad** o **el Día de la Raza**. Es para recordar el descubrimiento de las Américas por Cristóbal Colón el 12 de octubre de 1492.

NOVIEMBRE

El 2 de noviembre se celebra en México **el Día de los Muertos**. Es el día en que los mexicanos recuerdan con cariño a sus muertos. En las panaderías hay un pan especial que se llama pan de muerto y en las pastelerías puedes comprar esqueletos hechos de azúcar.

DICIEMBRE

La Navidad se celebra en todas las partes de España y de América Latina. Del 16 al 25 de diciembre hay celebraciones navideñas en México. El 24 de diciembre es **Nochebuena**. En España las familias se reúnen para una cena especial.

El 25 es **el Día de Navidad**.

El 28 de diciembre es **el Día de los Santos Inocentes** y es una tradición en los países hispanohablantes hacer trampas en ese día, como se hace en los países de habla inglesa el 1 de abril.

4a Trabaja con tu compañero/a. Por turnos, haz y contesta las siguientes preguntas:

¿Comes algo especial en tu casa el Martes Gordo? ¿Qué comes?
¿A quién das tarjetas el 14 de febrero?
¿Qué pasa en tu casa el 1 de abril?
¿Comes algo especial en Pascua? ¿Qué comes?
¿Te pones un disfraz en Hallowe'en? ¿De qué?
¿Celebras el 5 de noviembre? ¿Qué haces?
¿En qué días se reúne tu familia para una comida o una cena especial?
¿Qué otras fiestas celebras?

4b Discurso. Prepara un discurso sobre las fiestas en España. Escribe un resumen de la información apropiada.

4c Habla a la clase sobre las fiestas de tu país.

5 Prepara un calendario de fiestas de tu país.

Teléfonos móviles

1 Lee este artículo de la revista *Prima*. Usa tu diccionario para ayudarte a leer.

9

Engánchate a la línea

*Hace algunos años parecía cosa de agentes secretos. Sólo el **Superagente 86** podía comunicarse mediante un diminuto aparato telefónico del tamaño de un tacón de zapato desde cualquier sitio.*

Sin embargo, la fantasía se ha convertido en realidad. Hoy lo cotidiano es encontrarse con alguien que paseando por la calle habla por teléfono con su oficina o con algún amigo.

La telefonía móvil tiene cada vez más adeptos. Y no es raro.

Tanto el precio de enganche a la línea como el de los aparatos ha bajado hasta unos límites que, en algunos casos, puede resultar incluso más barato que contratar una línea fija. Con la telefonía móvil cuesta lo mismo llamar a un vecino que a un familiar que vive en otra provincia. Además, actualmente existen muchas ofertas en las que regalan, por ejemplo, la cuota inicial y algunas mensualidades.

Lo primero que debes tener bien claro es que no todos los teléfonos móviles son iguales. Cada uno tiene una tecnología distinta. Sus prestaciones y características varían también. No se puede decir que un sistema sea mejor que otro. Cada usuario debe elegir aquél que más le interese.

Existen diferentes tipos de contratos:

- *Individual*: recomendado a particulares y profesionales que realicen menos de 20 llamadas diarias. Lo más interesante de este tipo de contrato son los precios a pagar por la cuota mensual, 2.320 pesetas, y por cada llamada los días de diario a partir de las 10 de la noche y los sábados, domingos y festivos.
- *Múltiple*: recomendado para profesionales o empresas que necesiten más de cinco líneas o que efectúen más de 20 llamadas diarias.
- *Plan mini*: destinado a particulares.
- *Plan frecuente*: le interesa a empresas y profesionales.

Caridad Ruiz

2 Haz una lista de las ventajas de tener un teléfono móvil.

3 ¿Te gustaría tener un teléfono móvil? Completa la frase.

Me gustaría tener un teléfono móvil porque ...

4 Mira las fotos. ¿Cuál de los teléfonos preferirías? Completa la frase.

Preferiría el modelo ... porque es ...

5 Mira la tarifa de precios. ¿Qué tarifa es la más conveniente para ti?

En mi opinión la tarifa que más me conviene es ... porque ...

HC 400 de Alcatel (digital), cuyo precio es de 30.000 ptas.

Cuadro Comparativo de tarifas

	PERSONAL	CONTRATO PERSONAL	PLAN MINI
CUOTA DE CONEXIÓN	**11.600 ptas.**	**4.060 ptas.**	**4.060 ptas.**
CUOTA MENSUAL	**2.552 ptas.**	**2.320 ptas.**	**2.212 ptas.**
ESTABLECIMIENTO LLAMADA	**23,20 ptas.**	**23,20 ptas.**	**23,20 ptas.**
TARIFA NORMAL (LUNES A VIERNES)	07:00h. 14:00h 16:00h. 20:00h **59,16 ptas./min.**	07:00h. 14:00h 16:00h. 20:00h **92,80 ptas./min.**	07:00h. 21:00h **91,64 ptas./min.**
TARIFA REDUCIDA	LUNES – VIERNES 14:00h. 16:00h 20:00h. 22:00h **34,80 ptas./min.**	LUNES – VIERNES 14:00h. 16:00h 20:00h. 22:00h SÁBADOS 07:00h. 14:00h **34,80 ptas./min.**	
TARIFA SUPERREDUCIDA	LUNES – VIERNES 22:00h. 07:00h SÁBADOS – DOMINGOS Y FESTIVOS Todo el día **13,92 ptas./min.**	LUNES – VIERNES 22:00h. 07:00h SÁBADOS – DOMINGOS Y FESTIVOS Todo el día **13,90 ptas./min.**	LUNES – VIERNES 00:00h. 07:00h 21:00h. 24:00h SÁBADOS – DOMINGOS Y FESTIVOS Todo el día **13,92 ptas./min.**

El modelo PR 747 GSM de Philips cuesta 60.000 ptas. aprox.

EL Micro TAC International 7.500 de Motorola (25.000 ptas.) es digital y pesa 215 gramos.

31–36

1 Escucha la canción.

HACER UNA LLAMADA

Quiero hacer una llamada,
para hablar con mi novio.
¿Tiene una moneda?
Pues no tengo cambio.

Uno, tres, cuatro, diez.
Marque el número otra vez.

Escucho por el tono,
metida en la cabina.
El teléfono está roto,
y no se oye nada.

Uno, tres, cuatro, diez.
Marque el número otra vez.

En desesperación
busco otra cabina.
Salgo de la estación,
me voy a la esquina.
Levanto el aparato
esperando la señal.
Espero un buen rato
el teléfono está mal.

Uno, tres, cuatro, diez.
Marque el número otra vez.

Llamo a la operadora,
porque no me comunico.
Pido a la señora
cobro revertido.

Uno, tres, cuatro, diez.
Marque el número otra vez.

Ay señor, por favor
présteme su móvil.
No hay línea exterior,
por eso estoy inmóvil.
Mi novio no contesta.
No está comunicando.
Esto me molesta
¿Con quién está hablando?

Uno, tres, cuatro, diez.
Marque el número otra vez.

2 Describe los problemas que tenía la chica al llamar por teléfono.

La chica no tenía cambio.
El teléfono estaba roto ...

RESUMEN

Now you can:

• talk about future plans	Mañana iré de compras. Compraré un disco compacto de Blur.
• select and buy a present for a friend	Quiero comprar un regalo para una amiga. Le gustaría esa bolsa. Aquellos cinturones son muy elegantes. Estos pendientes son preciosos. Ese pañuelo en turquesa es bonito.
• ask about and describe shopping habits	¿Qué tipo de tiendas prefieres? Me gustan los grandes almacenes porque tienen de todo a buenos precios.
• ask and understand how much it costs to send postcards and letters	¿Cuánto cuesta mandar una carta/tarjeta postal?
• ask for stamps	Tres sellos para postales.
• ask and understand where a postbox is	¿Hay un buzón por aquí? Sí, hay uno en la esquina.
• ask and understand details about collection times	¿A qué hora hay recogida por la mañana? Hay recogidas a las 9.30 y a las 12.00.
• return an item to a shop and ask for a refund or replacement	Quiero cambiar este jersey porque es demasiado grande. Quiero un reembolso porque este reloj no funciona.
• give and understand information about how to get into town	Puedes venir en metro o en autobús. Tienes que tomar el autobús enfrente de la estación y tienes que bajarte en la Plaza Mayor. ¿Dónde está la parada del autobús que va a la Plaza Mayor? ¿Me puede decir dónde me tengo que bajar?
• explain and understand how to make a call from a public telephone	Debes colocar las monedas y esperar el tono.
• describe festivals you celebrate and understand information about Spanish festivals	En el Martes Gordo es tradición hacer pancakes que se comen con limón y azúcar. En Carnaval, la gente se disfraza y hay desfiles y fiestas.

Correos y Telégrafos

Envío CERTIFICADO Núm.
REMITENTE
Calle
en nº piso
DESTINATARIO
Calle
en nº piso
Sello de fechas

CLASE	MODALIDAD
Carta	Contra reembolso
Periódico	Pesetas
Impreso	Con aviso de recibo
Paquete de película	Urgente
Paquete Postal	

¡A trabajar!

1 Unos trabajadores

1a Escucha la cinta y escribe el orden en que oyes mencionar las distintas ocupaciones.

A un camarero

B un carnicero

C un periodista

D un cartero

E una profesora

F una secretaria

G un cocinero

H un basurero

1b Empareja estos lugares con los empleos apropiados.

1	una oficina	**6**	un banco
2	una fábrica	**7**	un consultorio dental
3	una tienda	**8**	un parque
4	un garaje	**9**	una comisaría
5	un hospital	**10**	una obra

A un albañil

B un empleado de banco

C una dentista

D una ingeniera

E un hombre de negocios

F una enfermera

G un policía

H una dependienta

I una jardinera

J un mecánico

2a Trabaja con tu compañero/a. Pregunta y contesta:

10 **2b** Haz una encuesta en tu clase. ¿Cuáles son los empleos más corrientes entre los padres de tus compañeros de clase?

3 Haz un póster. Recorta fotos de personas trabajando y pon un globo para cada una.

Trabajo en ...

Soy ...

¿En qué trabaja tu madre?

Mi madre es profesora. Trabaja en un colegio.

¿Y tu padre?

Mi padre no trabaja. Está en paro.

2 ¿Qué quieres ser?

1 Escucha y lee las entrevistas. Luego contesta las preguntas.

1

– Hola, ¿cómo te llamas?
– *Hola, me llamo Daniel.*
– Daniel, ¿qué quieres hacer en el futuro?
– *Quiero ser veterinario.*
– ¿Veterinario?
– *Sí.*
– Es una carrera bastante difícil, ¿verdad?
– *Sí, es difícil y hay que estudiar mucho. Pero es que a mí me interesan mucho los animales.*

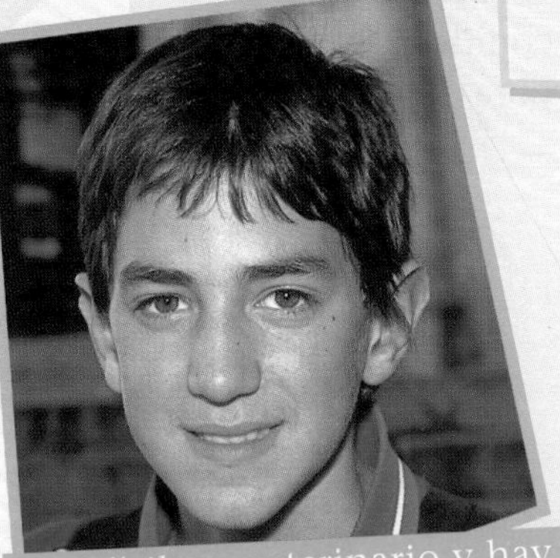

Es difícil ser veterinario y hay que estudiar mucho pero me interesan mucho los animales.

2

– Hola, ¿cómo te llamas?
– *Hola, me llamo Miriam.*
– ¿Qué quieres ser en el futuro?
– *Quiero ser médica o profesora.*
– ¿Por qué?
– *Porque son trabajos interesantes y que valen la pena.*

Quiero ser médica.

3

– ¿Cómo te llamas?
– *Me llamo Fernando.*
– ¿Qué piensas hacer en el futuro, Fernando?
– *Quisiera ser piloto.*
– ¿Por qué?
– *Porque es un trabajo interesante y paga bien.*

Quisiera ser piloto ... porque es un trabajo interesante y paga bien.

4

– Hola, me llamo María Luisa.
– *¿Qué piensas hacer en el futuro, María Luisa?*
– Quisiera ser modelo pero sé que no es fácil.
– *Los modelos ganan mucho dinero, ¿verdad?*
– Sí, pero es difícil tener éxito como modelo.
– *¿Y si no puedes ser modelo, qué te gustaría hacer?*
– Me gustaría ser diseñadora.
– *¿Por qué?*
– Porque me interesa mucho la moda.

Quisiera ser modelo pero sé que no es fácil.

1. ¿Qué quiere ser Miriam? ¿Por qué?
2. ¿Daniel quiere ser ingeniero o veterinario?
3. ¿Qué hay que hacer para ser veterinario?
4. ¿Qué quisiera ser María Luisa?
5. ¿Por qué quiere ser piloto Fernando?

2 Trabaja con tu compañero/a. Pregunta y contesta sobre el trabajo que queréis hacer en el futuro.

¿Qué quieres ser en el futuro? ¿Por qué?		Quiero ser ... Porque ...
Quiero Quisiera Voy a Me gustaría	ser	actor, actriz, auxiliar de vuelo, cantante, enfermera, futbolista profesional, mecánico, modelo, músico, peluquero, ingeniero, periodista, piloto, policía, profesor, secretaria, soldado, veterinario
porque		es interesante paga bien viajas mucho conoces a gente interesante vale la pena puedes ayudar a otras personas

3 Mira la lista de frases sobre el futuro y el trabajo. Ponlas en orden de importancia, según tus propias opiniones.

- Quiero ser famoso/famosa.
- Quiero estudiar en la universidad.
- Quiero tener un trabajo interesante.
- Quiero ser independiente.
- Quiero dejar los estudios y tener un trabajo.
- Quiero tener un trabajo bien pagado.
- No quiero hacer un trabajo aburrido.
- Quiero tener éxito.
- No quiero trabajar en una oficina.
- Quiero trabajar al aire libre.
- Quiero trabajar con animales.
- Quiero hacer un trabajo útil.

¿Trabajas los fines de semana?

1a Escucha la cinta y mira las fotos. Escribe las letras de las fotos en el orden en que se menciona cada trabajo en la cinta.

1b Empareja las frases de las dos listas y escribe la letra de la foto que describen.

1. Trabajo de canguro.
2. Trabajo en un supermercado.
3. Cuido animales.
4. Trabajo en una escuela de equitación.
5. Trabajo de camarero en un restaurante.

a Me gusta porque generalmente los clientes son simpáticos.
b No paga bien pero no es un trabajo duro y me gustan los niños.
c Trabajo cuatro horas al día: los sábados por la tarde y los domingos por la mañana.
d Tengo que darles de comer y pasear a los perros.
e Lo hago porque me gustan los caballos y porque puedo ir a las clases gratis.

11 **2** Escucha la cinta y marca la ficha.

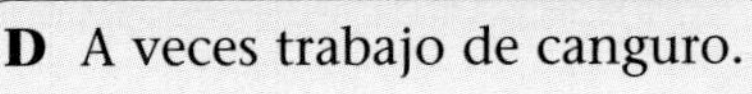

11 **3a** Trabaja con tu compañero/a. Haz las siguientes preguntas y contesta como si fueras Daniel o Patricia de la actividad 2.

¿Trabajas los fines de semana?
¿Qué haces?
¿Cuántas horas trabajas al día?
¿Te pagan bien?
¿Te gusta el trabajo?
¿Por qué?/¿Por qué no?

3b Trabaja con tu compañero/a. Haz las mismas preguntas y contesta con tus propias respuestas.

12 **4** Haz una encuesta sobre el trabajo en clase.

Un puesto de trabajo

1a Lee los anuncios. Busca las palabras que no conoces en el diccionario.

A
Se busca joven de 15 a 18 años para trabajar en un garaje. Trabajo variado. No se necesita experiencia. Tel: 91/3356832

B
Peluquería necesita joven para trabajar los sábados. Buena presencia. Tel: 93/3009984

C
Tienda de deportes busca jóvenes dependientes. No es necesario tener experiencia. Interés en el deporte sería una ventaja. Tel: 91/7275361

D
SE NECESITA un recepcionista bilingüe español - polaco, con buen nivel de inglés, para un complejo turístico en Mojácar, Almería. Interesados llamar al Tel./Fax. 950/47208.

E
AUPAIR, Europa, USA, Norton Brokers. ☏91/3440432, 3441684.

1b Escucha los diálogos en la cinta y empareja cada diálogo con el anuncio apropiado.

1c Vuelve a escuchar los diálogos y pon una ✔ o una ✘ para indicar si hay o no hay un puesto de trabajo.

2 Trabaja con tu compañero/a. Elige uno de los anuncios. Haz los papeles de una persona que quiere el trabajo y el empleado de la compañía que anuncia el puesto.

¿Dígame?

Hola. Buenos días. Llamo por lo del anuncio que vi en el periódico para ....

¿Tiene usted experiencia en este tipo de trabajo?

....

¿Quiere venir mañana para una entrevista?

¿A qué hora?

3 Lee el anuncio y la carta. Luego elige uno de los puestos y escribe tu propia carta.

Establecimiento turístico de 500 camas de máximo nivel en su segmento y excelente ocupación, situado en Lanzarote, perteneciente a grupo empresarial regional con intereses económicos en diferentes islas del Archipiélago Canario, desea contratar

✓ **JEFE DE RECEPCIÓN** (2.900.00Pta.)

✓ **JEFE DE ANIMACIÓN** (2.900.00Pta.)

✓ **ANIMADOR DE NIÑOS** (2.300.00Pta.)

✓ **MONITOR DE TENIS** (2.500.00Pta.)

PERFIL:
- Varón o mujer joven y dinámico.
- Experiencia probada en puesto similar
- Dominio del idioma alemán es imprescindible, valorándose el conocimiento de otros.
- Capacidad de integración en equipo de tamaño medio, 50 personas, dedicado a la atención de clientela extranjera.
- Capacidad para motivar a su entorno laboral, autoexigencia personal y personalidad optimista y madura son requisitos necesarios para encajar en el equipo de gestión que estos puestos completan.

OFERTA:
- Establecimiento tipo club, con clientela mayoritariamente alemana.
- Puesto de trabajo estable.
- Residencia en Lanzarote.
- Incorporación inmediata.
- Las retribuciones indicadas son anualidades brutas.

Interesados, deberán remitir historial profesional, con fotografía reciente, al fax de Las Palmas de Gran Canaria (928) 31 75 96, indicando el puesto al que optan.

Ana María Vera Gómez,
Calle Príncipe 127, 2º A
03053 Segovia

15 de febrero, 1998

Las Palmas de Gran Canaria
Fax: 928 31 75 96

Distinguidos señores:

Me dirijo a ustedes para solicitar el puesto de Monitor de Tenis anunciado en EL PAIS el día 14 de este mes.

Tengo experiencia en este tipo de trabajo porque he trabajado como Monitora de deportes durante el verano en un campamento de verano para jóvenes. Juego muy bien al tenis y tengo certificado de entrenadora. Hablo alemán e inglés con fluidez y tengo conocimientos de francés.

Me gusta trabajar en equipo y creo que me llevo bien con gente de todas las edades.

Adjunto mi curriculum vitae y una fotografía reciente.

Estoy a su disposición para ofrecerles cualquier información que necesiten. Les agradezco la atención prestada y quedo a la espera de su respuesta.

Atentamente

Ana María Vera Gómez

Ana María Vera Gómez

CURRICULUM VITAE

Nombre y apellidos	Ana María Vera Gómez
Domicilio	Calle Príncipe 127, 2º A 03053 Segovia
Teléfono	(11) 95 27 00
Fecha de nacimiento	13 de julio de 1975
Estado civil	soltera
Estudios	

37–42

El camino hacia el éxito

1 Escucha y lee sobre Raúl González Blanco y contesta las preguntas.

1 ¿Dónde nació?
2 ¿Cuándo empezó a jugar al fútbol?
3 ¿Qué hacía a los 13 años?
4 ¿Qué tipo de jugador era a esa edad?
5 ¿Qué hizo a los 16 años? ¿Qué pasó?
6 ¿Qué hacía un año después?
7 ¿Qué oportunidad tuvo y por qué?

Nombre: Raúl
Apellidos: González Blanco
Lugar de nacimiento: Madrid, España
Edad: 19 años
Profesión: futbolista profesional
Equipo: Real Madrid
Posición: delantero

Socorro

el éxito – *success*
crecer – *to grow up*
el ambiente – *atmosphere*
la afición – *enthusiasm, interest*
el hincha – *fan (football)*
el delantero – *forward, striker*
marcar – *to score (goals)*
la prueba – *trial, test*
fichar – *to sign*
lesionado – *injured*
reemplazar – *to replace*

La carrera de Raúl González Blanco ha sido como un sueño, el sueño de todos los jóvenes que adoran el fútbol.

Raúl empezó a jugar al fútbol cuando era pequeño. Jugaba en casa, en la calle, en el parque y en el patio del colegio. Jugaba todo el tiempo. Además creció en un ambiente de afición al deporte porque su padre era y todavía es hincha del Atlético de Madrid.

A los 13 años Raúl jugaba en un equipo juvenil del barrio. Ya se notaba que tenía mucho talento. Era un delantero excelente y marcaba muchos goles. A los 16 años hizo pruebas para entrenarse con los juveniles del Real Madrid. Fue seleccionado y el club le fichó para jugar en el equipo juvenil.

Un año después Raúl se entrenaba todos los días con los juveniles mientras seguía sus estudios en el instituto de su barrio. Luego tuvo la oportunidad de su vida: un jugador del equipo A estaba lesionado y llamaron a Raúl para reemplazarlo. Raúl jugó, a los 17 años, en un partido de primera división para el Real Madrid. Jugó muy bien, un estudiante de secundaria jugando al lado de las grandes figuras del fútbol como Emilio Butragueño e Iván Zamorano. El sueño de Raúl se hizo real y así empezó su carrera de futbolista profesional.

2 Escucha la entrevista con Raúl y elige las respuestas correctas.

1 ¿Cuándo empezó Raúl a jugar al fútbol?
- **a** hace 2 años
- **b** hace 10 años
- **c** hace 15 años

2 ¿Cuánto tiempo hace que Raúl juega en un equipo?
- **a** hace 10 años
- **b** hace 8 años
- **c** hace 3 años

3 ¿Cuánto tiempo lleva Raúl como futbolista profesional?
- **a** Lleva ahora 3 años como futbolista profesional.
- **b** Lleva ahora 2 años como futbolista profesional.
- **c** Lleva ahora 4 años como futbolista profesional.

GRAMÁTICA

hace
¿Cuándo empezaste a jugar al fútbol? – Hace quince años.
¿Cuánto tiempo hace que juegas en un equipo? – Hace ocho años que juego en un equipo.

llevar
¿Cuánto tiempo llevas como futbolista profesional? – How long have you been a professional footballer?

¿Quieres saber más?
Mira la página 109.

3 Trabaja con tu compañero/a. Haz y contesta preguntas como:

¿Qué deporte practicas? ¿Cuánto tiempo hace que lo practicas?	Practico el/la .../Juego al/a la ... Hace ... años que practico el/la ...
¿Juegas en un equipo? ¿Cuánto tiempo hace que juegas en un equipo?	Hace ... años que juego en el equipo ...
¿Cuánto tiempo hace que vives en este barrio?	Hace ... años que vivo en este barrio.
¿Cuánto tiempo hace que estudias español?	Hace ... años que estudio español.
¿Cuánto tiempo hace que tienes el pelo corto/largo/ llevas gafas/sales con Daniel/ etc.?	Hace ... que ...

4 Escribe un párrafo sobre un deporte que practicas desde hace bastante tiempo u otro pasatiempo que te gusta mucho.

Loco por el fútbol

Llevo ahora nueve años jugando al fútbol. Empecé a jugar a los 6 años. Desde los 6 hasta los 9 años jugaba casi todos los días con mis hermanos y mis amigos en el parque o por ahí. Cuando tenía 10 años empecé a jugar en un equipo juvenil del barrio. Teníamos que entrenar una vez a la semana y había partidos todos los fines de semana.

A los 14 me ficharon para jugar en el equipo juvenil de la región. Hace un año que juego para este equipo. El entrenamiento y los partidos son duros pero me encanta el fútbol. Mi equipo preferido es El Atlético de Madrid y en el futuro me gustaría jugar para ellos.

¡Nacida para bailar!

Según mi madre, bailo desde siempre. Dice ella que empecé a bailar cuando empecé a andar porque siempre iba de puntillas. (¡Me da mucha vergüenza cuando les cuenta esto a mis amigos!) Llevo doce años haciendo ballet. Fui a mi primera clase a los 3 años. Desde los 7 hasta los 12 años iba a una academia de danza. Aprendí todo tipo de danza, desde el ballet al flamenco. A los 13 años fui a una audición y conseguí un papel en una obra de teatro en Madrid. Tenía que ir al teatro todos los días después de clase. Me lo pasé muy bien. Ahora no bailo tanto porque tengo que estudiar mucho pero en el futuro me gustaría trabajar en el teatro, como bailarina, coreógrafa o como actriz.

6 La entrevista

1a Escucha la cinta. A Ignacio le hace falta dinero. Necesita un trabajo para los sábados. ¿Tiene Ignacio las calificaciones y la experiencia necesarias para trabajar para el señor Nuñez? ¿Qué tipo de trabajo va a hacer?

1b Contesta las preguntas.

1 ¿Qué ha aprobado Ignacio?
2 ¿En qué ha trabajado Ignacio?
3 ¿Dónde no ha trabajado?

2a Escucha la cinta. Empareja las personas con los empleos en que han trabajado.

2b Escucha otra vez y marca dónde han trabajado.

13 **2c** Escucha otra vez y empareja el tiempo que han trabajado las personas en sus empleos con sus nombres.

2d Trabaja con tu compañero/a.

¿En qué ha trabajado Fernando?

Ha trabajado como dependiente.

¿Dónde ha trabajado?

En un almacén.

¿Por cuánto tiempo?

Por tres meses.

GRAMÁTICA

The perfect tense

estudiar – to study

he estudiado – I have studied
has estudiado – you (tú) have studied
ha estudiado – he/she has studied, you (usted) have studied
hemos estudiado – we have studied
habéis estudiado – you (vosotros) have studied
han estudiado – they/you (ustedes) have studied

obtener – to gain, obtain

he obtenido – I have obtained
has obtenido – you (tú) have obtained
ha obtenido – he/she has obtained, you (usted) have obtained
hemos obtenido – we have obtained
habéis obtenido – you (vosotros) have obtained
han obtenido – they/you (ustedes) have obtained

¿Quieres saber más?
Mira la página 110.

14

3a Escucha la cinta y rellena la ficha. ¿Han aprobado los exámenes los jóvenes? ¿Han sacado buenas notas?

3b Trabaja con tu compañero/a. Pregunta y contesta:

¿Has aprobado todos los exámenes?

No, he suspendido el examen de ciencias.

¿Has sacado buenas notas?

He sacado malas notas en historia.

4a Lee la evaluación de Ignacio y escribe una lista de asignaturas con sus notas.

ejemplo Matemáticas A

SOCORRO

Sobresaliente – *A*
Notable – *B*
Bien – *C*
Suficiente – *D*
Insuficiente – *E*
Deficiente – *F*
Muy Deficiente – *G*

CARTILLA DE EVALUACIÓN - OBSERVACIONES

Ignacio ha sacado buenas notas en el examen de matemáticas. Ha estudiado mucho durante el curso para obtener un sobresaliente. Desafortunadamente sus esfuerzos se han limitado a esta asignatura. Ha aprobado los exámenes de ciencias y educación física y ha obtenido resultados suficientes. Ha suspendido los exámenes de inglés y geografía con resultados insuficientes. En religión ha obtenido un deficiente, pero está muy deficiente en informática y dibujo. Debe trabajar más en todas las asignaturas.

4b Escribe tu propia evaluación.

7 En el trabajo

1a Escucha la cinta y lee. ¿Le gusta a Ignacio su trabajo? ¿Por qué/por qué no?

1b Contesta las preguntas.

1 ¿Qué trabajo ha hecho Ignacio en el supermercado?
2 ¿Por qué sólo ha recibido 3.000 pesetas?

2a Escucha la cinta. Escribe el orden en que oyes mencionar las cosas que ha hecho Felipe para ayudar en casa.

A B C D E
F G H I J

2b Mira los dibujos otra vez y juega con tus amigos. Añade una tarea a la lista por turnos.

He puesto la mesa.

He puesto la mesa y he ido de compras.

He puesto la mesa y he ido de compras y he ...

acuérdate

arreglar el dormitorio – to tidy the bedroom
barrer – to sweep
fregar el suelo – to mop the floor
hacer las camas – to make the beds
lavar los platos – to wash the dishes
limpiar – to clean
limpiar el polvo – to dust
pasar la aspiradora – to hoover
poner la mesa – to lay the table
poner la ropa sucia en la lavadora – to put the laundry in the washing machine
preparar el desayuno – to make breakfast
sacar la basura – to take out the rubbish

3 Trabaja con tu compañero/a. Pregunta y contesta:

¿Qué has hecho para ayudar en casa esta semana?

He limpiado el polvo y he arreglado mi dormitorio. ¿Y tú?

15 **4** Marca en la lista lo que has hecho este fin de semana para ayudar en casa. Compara tu lista con el resto de tu clase.

GRAMÁTICA

Poner and hacer – perfect tense
poner – to put, to lay
he puesto la mesa – I have laid the table

hacer – to have (done)
he hecho la compra – I have done the shopping

¿Quieres saber más?
Mira la página 110.

8 Los anuncios

A

B

Le llamaron para ofrecerle el papel de Emperador.
Pero no estaba.

¿Comprendes ahora la importancia de tener un contestador? El Contesta Plus de Telyco es el primer contestador digital del mercado, contestador y teléfono en un solo aparato. Gracias a su tecnología digital, los mensajes son grabados en un chip, sin necesidad de cinta. Además de la función manos libres, incluye un mando a distancia con código secreto para utilizar el contestador desde cualquier otro teléfono. Para que no pierdas una sola oportunidad.

Telyco reúne la gama más moderna de terminales avanzados de Telefónica: teléfonos con fax, contestadores digitales, teléfonos móviles... al mejor precio.

De venta en oficinas de Telefónica, distribuidores de Telyco y tiendas especializadas
Llama al 900 124 124 *o a tu oficina de Telefónica a través del 004.*

El Digital de Telyco responde por ti.

TELYCO

1 Elige las frases que corresponden, en tu opinión, a cada anuncio.

1 Es divertido.
2 Es aburrido.
3 Tiene/No tiene humor.
4 Tiene/No tiene estilo.
5 Es imaginativo y original/No es ni imaginativo ni original.
6 Es atractivo y elegante/No es ni atractivo ni elegante.
7 Tiene un doble sentido que lo hace interesante.
8 Me da una buena impresión del país, y me da ganas de conocerlo.
9 Es sencillo y directo. Describe el producto.

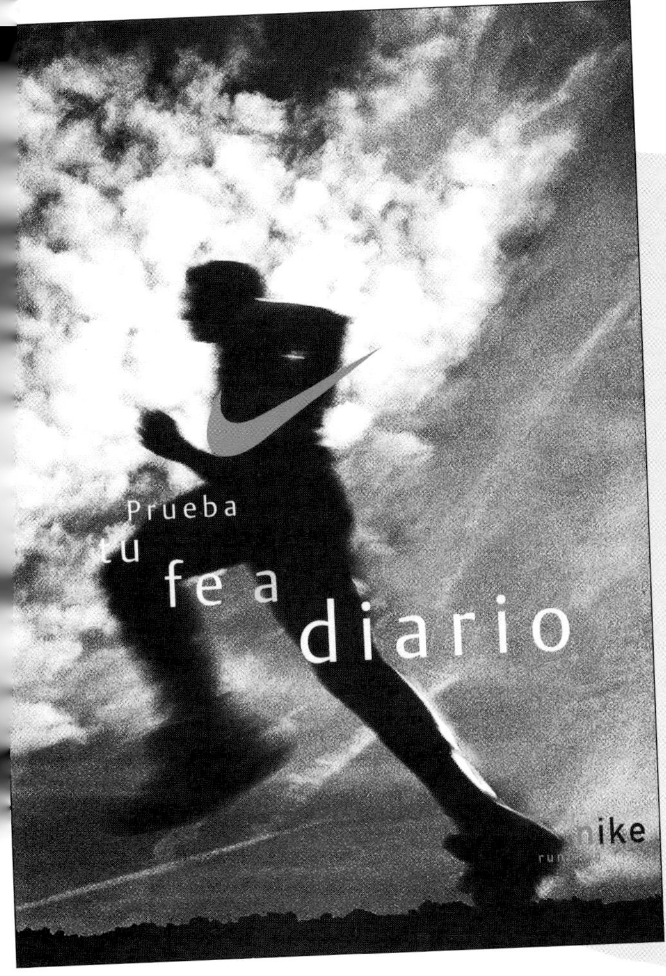

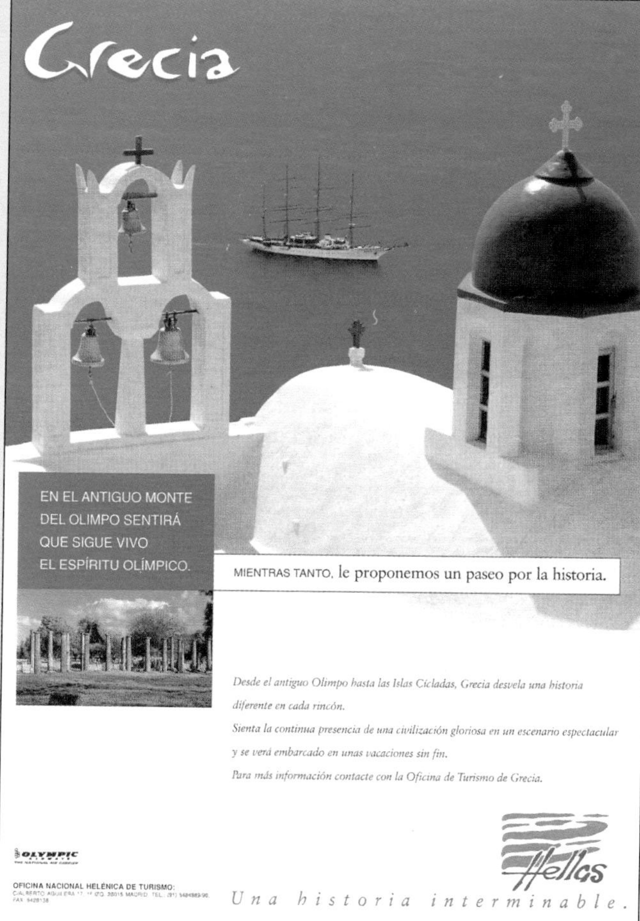

D

1 Me gustan los anuncios divertidos. Pienso que el humor es importante para atraer el interés y hacerte recordar un producto.

2 En mi opinión los anuncios son una pérdida de tiempo porque te hacen comprar cosas que no necesitas.

3 Creo que el estilo y la elegancia son importantes para un buen anuncio.

4 Me gustan los anuncios que te sacan de la realidad, que te llevan a sitios remotos y hermosos.

5 Prefiero los anuncios que te inspiran, que te hacen pensar que puedes hacer lo imposible.

2 Escucha y lee las opiniones sobre los anuncios. Elige un anuncio para cada persona.

3 Trabaja con tu compañero/a. Pregunta y contesta:

¿Cuál es tu opinión sobre los anuncios?
¿Cuál de los anuncios te gusta más? ¿Por qué?
¿Hay un anuncio en la tele que te gusta? ¿Cuál es?
¿Por qué te gusta?

¿Qué quieres hacer en el futuro?

1 Lee la entrevista y contesta las preguntas.
Usa tu diccionario y mira *el socorro* para ayudarte.

Hoy vamos a hablar con Mónica. Mónica es una chica española que nos va a contar los planes que tiene para su futuro profesional.

– *Hola Mónica. ¿Qué quieres ser en el futuro?*
– Quiero ser controlador aéreo.
– *¡Qué interesante! ¿Qué es un controlador aéreo?*
– Pues, es la persona que controla el tráfico de los aviones para evitar accidentes.

– *¿Por qué quieres ser controlador aéreo?*
– Porque el trabajo es muy interesante. Se aprende mucho. Es como conseguir un éxito cada minuto.
– *¿Qué cualificaciones necesitas?*

– Bueno, necesitas tener un título.
– *¿Hablas otros idiomas aparte del español?*
– Hablo un poco de inglés porque lo estudié desde los seis años y además he vivido en Londres desde agosto, diez meses.

– *¿Ser controlador es un trabajo duro?*
– Es duro, estresante e intenso y además exige una gran responsabilidad. Hay que tener los cinco sentidos en el trabajo.
– *¿Qué es lo que tienes que hacer concretamente?*

1 ¿Qué quiere ser Mónica en el futuro?
2 ¿Qué función tiene un controlador aéreo?
3 ¿Qué opinión tiene Mónica de esta profesión?
4 ¿Qué se necesita para ser controlador aéreo?
5 ¿Qué otras lenguas habla Mónica?
6 ¿Cuándo empezó a hablar inglés?
7 ¿Dónde vive en estos momentos?
8 ¿Qué cualidades se necesitan para ser controlador?
9 ¿Qué tiene que hacer durante el trabajo?
10 ¿Cuántas horas trabaja al día?
11 ¿Cuánto ganan los controladores?
12 ¿Cuáles son las ventajas? ¿Y las desventajas?
13 ¿Dónde quiere vivir Mónica? ¿Por qué?

socorro

conseguir un éxito – *to be successful*
un título – *a degree*
estresante – *stressful*
horas seguidas – *continuous hours*
casi tanto como – *almost as much as*
proporcionar – *to give*
agobiante – *pressurised*
ya veremos – *we'll see*

– Depende, hay muchas funciones que un controlador puede hacer pero todas ellas garantizan la seguridad de los vuelos con el radar, la radio, muchos ordenadores ...

– *¿Cuántas horas trabajas?*

– Los turnos son de ocho horas. Pueden ser por la mañana, por la tarde o por la noche. Pero nunca se trabaja más de dos horas seguidas.

– *Muy bien, una pregunta importante, ¿te pagan bien?*

– Un controlador gana casi tanto como un piloto.

– *¿Cuáles son las ventajas y las desventajas?*

– La gran ventaja es la satisfacción personal y profesional que proporciona aunque tiene la desventaja de que en algunos momentos puede ser agobiante.

– *¿Dónde vivirás?*

– Primero me prepararé en Madrid. Después iré a hacer prácticas a cualquier aeropuerto de España. Y finalmente intentaré vivir en mi ciudad, Málaga, donde, afortunadamente, hay un aeropuerto. Ya veremos.

– *Bueno, pues, buena suerte.*

– Muchas gracias.

– *Adiós.*

2 Ahora escucha la cinta con la entrevista completa y contesta las preguntas.

1 ¿Qué razones tiene Mónica por querer ser un controlador aéreo?
2 ¿Qué estudios tiene Mónica?
3 Hay cinco pruebas de selección. ¿Qué son?
4 ¿Qué trabajo tiene Mónica ahora?
5 ¿Cómo describe Mónica el trabajo de controlador?
6 ¿Por qué no se trabajan más de dos horas seguidas?
7 ¿Qué hacen los controladores para relajarse?
8 ¿Cómo se paga el trabajo?
9 ¿Cómo se comprueba que los controladores están bien de salud?
10 Si no llega a ser controladora, ¿qué piensa hacer?

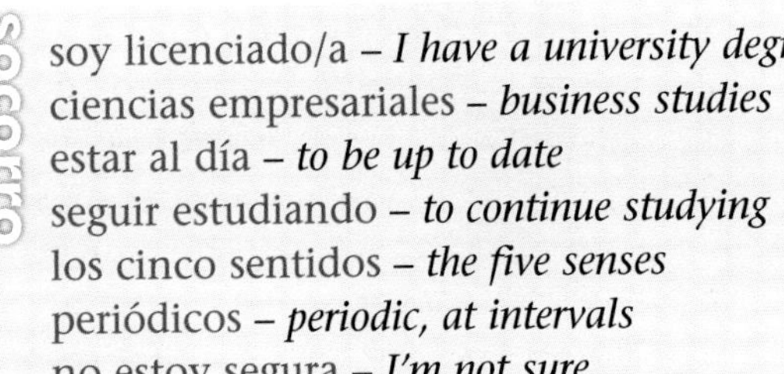
socorro

soy licenciado/a – *I have a university degree*
ciencias empresariales – *business studies*
estar al día – *to be up to date*
seguir estudiando – *to continue studying*
los cinco sentidos – *the five senses*
periódicos – *periodic, at intervals*
no estoy segura – *I'm not sure*

43–48

1 Escucha la canción.

En el futuro

Estribillo
¿En el futuro qué quieres ser?
¿En el futuro qué vas a hacer?
¿En el futuro qué tendrás?
¿Y dónde te estarás?

Cuando termine los estudios,
seré un hombre de negocios.
Un coche grande tendré,
traje de Armani me pondré.
Al terminar el colegio
venderé carne a buen precio.
Carnicero seré,
en mi carnicería estaré.

Estribillo

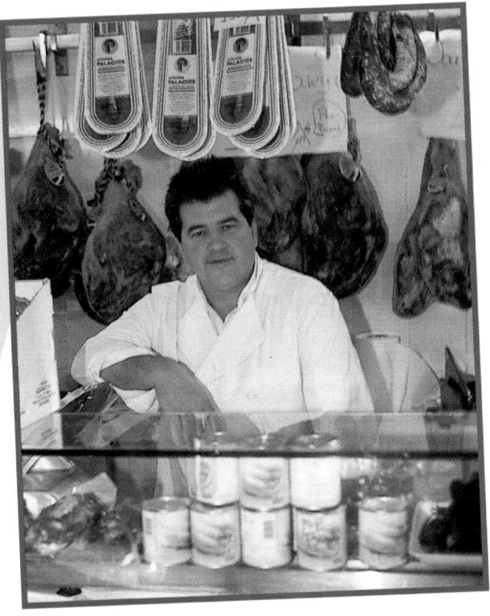

Cuando termine el colegio,
no quiero estar en un palacio.
Quiero ser policía
en una comisaría.
Quiero hacer en el futuro
algo que no es demasiado duro.
Quiero ser una dependienta
y trabajar en una tienda.

Estribillo

Quiero trabajar en un hospital
y curarte si te sientes mal.
Un médico voy a ser,
en la clínica me vas a ver.
Matemáticas estudiaré,
con dinero trabajaré.
Seré una empleada de
banco,
¿A cuánto está el franco?

Estribillo

Quiero ser un ingeniero.
Es la profesión que yo
prefiero.
Construyendo un gran
puente,
asombraré a la gente.
No quiero ser un
bombero,
ni tampoco un carpintero.
Seré una periodista
trabajando en una revista.

Estribillo

RESUMEN

Now you can:

- ask and talk about jobs and where people work

  ¿En qué trabaja tu madre?
  Mi madre es profesora. Trabaja en un colegio.
  ¿Y tu padre?
  Mi padre no trabaja porque está en paro.

- ask for and give information about future plans and give reasons

  ¿Qué quieres hacer en el futuro?
  Quiero ser piloto porque es interesante y paga bien.

- ask and talk about weekend and holiday jobs

  ¿Trabajas los fines de semana?
  Sí, trabajo en un restaurante.

- ask about and describe work and conditions

  ¿Qué haces?
  Trabajo de camarera.
  ¿Cuántas horas trabajas?
  Trabajo cuatro horas al día.

- enquire about jobs in advertisements

  Llamo por lo del anuncio en el periódico para una recepcionista.

- ask and say when you started and how long you have been doing something

  ¿Cuándo empezaste a jugar al fútbol?
  Empecé a jugar al fútbol hace diez años.
  ¿Cuánto tiempo hace que juegas en un equipo?
  Hace siete años.

- ask and talk about qualifications and experience

  ¿Qué calificaciones tienes?
  He aprobado el examen de matemáticas y he sacado buenas notas.
  ¿Has tenido experiencia en este trabajo?
  He lavado coches y he trabajado de canguro.

- talk about jobs and chores you have or have not completed

  He limpiado las ventanas.
  He fregado el suelo pero no he sacado la basura.

IMPORTANTE EMPRESA MULTINACIONAL BUSCA PARA SU OFICINA DE MADRID

Secretaria

SE REQUIERE:
- Formación, titulación y experiencia adecuadas al puesto
- Conocimientos de informática a nivel de usuario, manejo de tratamientos de texto y hojas de cálculo
- Conocimientos de francés
- Manejo y mantenimiento de archivos

SE OFRECE:
- Contrato laboral a media jornada
- Incorporación inmediata

Las interesadas deberán enviar su C.V. y fotografía reciente al apartado de correos 51145 - 28080 Madrid

EL PAIS, domingo 26 de enero de 1997

Ofertas de Empleo Negocios/45

PARIS LISBOA LONDRES MILAN BRUSELAS ATENAS tea cegos CONSULTORIA FORMACION SELECCION

Importante Empresa Vinícola precisa

JEFE DE PRODUCCION

Dependiendo directamente de la Gerencia, asumirá plena responsabilidad en la dirección del equipo de Operarios y Mecánicos de Mantenimiento estableciendo los programas de producción necesarios de acuerdo a la demanda del mercado. Se ocupará también de la implantación de normas de calidad ISO 9000.

Buscamos: persona con formación de Ingeniero Técnico Industrial o similar, con **experiencia concreta en plantas embotelladoras (envases de cristal y cartón)**, buen conocedor de la maquinaria específica y de la problemática de este tipo de producción, logística y distribución.

Se ofrece: Incorporación a Grupo sólidamente constituido, líder en el sector y con personal bien capacitado de planta. **Retribución atractiva, negociable en función de experiencia y conocimientos aportados.**

Escribir con historial detallado, teléfono y horas de contacto a **TEA-CEGOS SELECCION, Fray Bernardino de Sahagún, 24, 28036 Madrid, indicando en el sobre Ref.: 14.243.**

PARIS LISBOA LONDRES MILAN BRUSELAS ATENAS tea cegos CONSULTORIA FORMACION SELECCION

Empresa dedicada a la fabricación de embalajes de cartón ondulado, ubicada en la periferia de Madrid, precisa

DIRECTOR DE FABRICACION

Se responsabilizará de la organización y realización de la producción, logística, personal, y supervisión de los subcontratistas.

Buscamos: Persona de 30 a 40 años, con formación a nivel de Ingeniero. **Experiencia como responsable de fabricación, preferiblemente en empresa de manipulados de cartón ondulado, artes gráficas o similar.** Deberá poseer gran capacidad de organización, gestión y mando.

Se ofrece: Incorporación a empresa sólidamente establecida, en fase de expansión y con posibilidades reales de desarrollo profesional. Remuneración fija competitiva a negociar en función de la valía aportada.

Escribir con historial detallado, teléfono y horas de contacto a **TEA-CEGOS SELECCION, Fray Bernardino de Sahagún, 24, 28036 Madrid, indicando en el sobre Ref.: 14.251.**

M.P.A. PUBLICAMOS OFERTAS DE EMPLEO
Viriato, 20 MADRID
Tel.: 593 83 67*

2 COMERCIALES
2 ADMINISTRATIVAS COMERCIALES
- Sueldo fijo + incentivos
- Seg. Social - Rég. General
- Incorporación inmediata

Escribir adjuntando foto reciente al Apdo. de Correos 6.100 de Madrid 28080, indicando en el sobre la Ref.: 628

Viaje de fin de curso

1 ¿Adónde fuiste?

1 Escucha la cinta y mira la tarjeta. Escribe las letras apropiadas para describir las vacaciones de Jorge.

1 a el verano pasado
b en las vacaciones de Navidad
c en Semana Santa

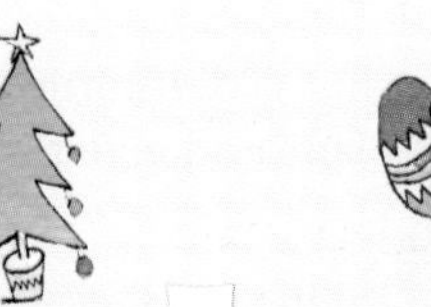

2 a fui al Caribe
b fui a Francia
c fui a Escocia

3 a fui con mis amigos
b fui con mi familia
c fui solo

4 a fui en avión
b fui en tren
c fui en coche y en ferry

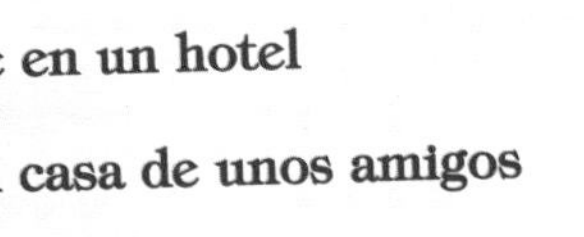

5 a me quedé en un hotel
b estuve en casa de unos amigos
c hice camping

6 a hacía mucho sol
b llovía todos los días
c nevaba y hacía frío

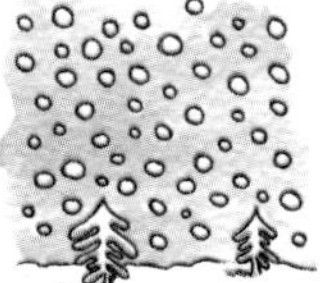

2 Trabaja con tu compañero/a. Haz las siguientes preguntas por turnos y contesta empleando el vocabulario de la actividad 1.

¿Adónde fuiste de vacaciones?
¿Con quién fuiste?
¿Cuánto tiempo estuviste allí?
¿Dónde te quedaste?
¿Qué tiempo hacía?
¿Qué hiciste?
¿Qué tal lo pasaste?

7 estuve allí por ...

a una semana

b dos semanas

c un mes

8 **a** fui a la playa

b visité monumentos históricos

c fui de compras

9 el paisaje es ...

a bonito

b feo

c aburrido

10 la gente es ...

a muy simpática

b muy antipática

c salvaje y peligrosa

11 lo pasé ...

a bien

b mal

c regular

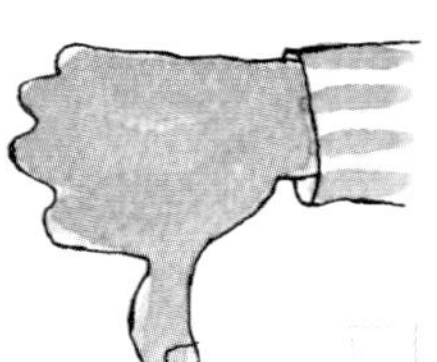
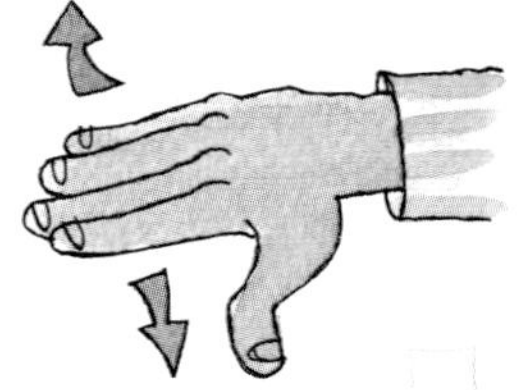

¿Adónde vas a ir?

1 Escucha y lee. ¿Qué deciden hacer los chicos para su viaje de fin de curso? Escribe las letras de las frases apropiadas.

Van a ...

a ir a las Islas Canarias.
b ir a la playa.
c visitar Francia e Italia.
d quedarse en un albergue juvenil.
e ir en avión.
f hacer windsurf.
g ir en tren.
h ir en coche.
i ir a Sierra Nevada.
j quedarse en un hotel o hacer camping.
k ir de excursión en bicicleta.

2 Trabaja con tu compañero/a. Pregunta y contesta:

¿Vas a ir de vacaciones?
¿Adónde vas a ir?
¿Con quién vas a ir?
¿Cómo vas a ir?
¿Qué vas a hacer?
¿Dónde vas a quedarte?

3 Recibes una carta como ésta de una amiga en España. Escribe una respuesta y contesta todas sus preguntas.

Querida Laura:

¡Hola! ¿Qué tal? Espero que todo te vaya bien. Te escribo para invitarte a venir a España durante las vacaciones de verano. ¿Te gustaría venir? Tengo vacaciones a partir del 25 de julio. ¿Y tú?

Mis tíos tienen un apartamento en la Costa Brava y podemos ir a visitarles. También podemos ir al pueblo de mis abuelos. No hay mucho que hacer allí pero es muy tranquilo y muy típico. A mí me gustaría mucho ir a la montaña y hacer camping. Quizás te gustaría visitar una ciudad interesante, por ejemplo, Toledo, Segovia o Salamanca. Escríbeme pronto y dime qué quieres hacer. ¿Prefieres ir a la playa o a la montaña? ¿Te gustaría conocer el pueblo de mis abuelos o visitar una ciudad histórica? ¿Te gustaría hacer camping o prefieres quedarte en un albergue juvenil? ¿Vas a venir en tren, en autocar o en avión?

Con mucho cariño

Marisa

3 Cómo se hace una reserva

1 Escucha la cinta. ¿Qué piensa Ignacio del Hotel Buena Vista?

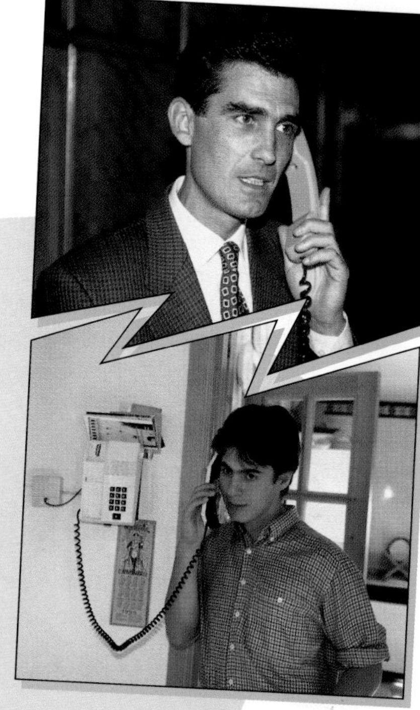

– *Hotel Buena Vista. ¿Dígame?*
– ¿Tiene habitaciones libres para principios de agosto?
– *Sí, señor.*
– Pues, quisiera reservar dos habitaciones dobles.
– *¿Con baño o ducha?*
– Con baño.
– *¿Para cuándo quiere hacer las reservas?*
– Para el seis de agosto.
– *¿Por cuántas noches?*
– Por una semana. ¿Qué servicios ofrece el hotel?
– *Pues el hotel dispone de restaurante, cafetería y bar, piscina, canchas de tenis, mini golf y aparcamiento.*
– ¿Es posible reservar habitaciones con vistas al mar?
– *Sí, señor, no hay problema.*
– Estupendo. ¿Y el precio de cada habitación?
– *La doble con baño 10.000 pesetas por noche.*
– ¡Uy! No me daba cuenta. Es demasiado caro. Quiero cancelar las reservas.
– *Como quiera señor, adiós.*

La Casa Grande

14.580 pts. 7	CARTA: 4.000 pts. MENÚ: 1.000-2.000 pts.
20.250 pts. 7	Inglés, Alemán, Italiano
40.500 pts. 1	De 13 a 16 horas De 21 a 23,30 horas
3.250 pts.	Abierto todo el año
6.000 pts.	Amex, Visa, Eurocard, CajaMadrid
incluido	

2 Trabaja con tu compañero/a. Mira la tarifa de precios de La Casa Grande y reserva habitaciones para tu familia.

3a Lee la carta y contesta las preguntas.

1. ¿Cuándo va a estar Claudia en Granada?
2. ¿Cuántos días va a estar?
3. ¿Cuándo va a llegar?
4. ¿Qué tipo de habitación quiere?
5. ¿Qué más quiere?

3b Escribe una carta parecida reservando habitaciones para tu familia.

Hotel Las Meninas
Paseo Trafalgar No 72
Granada

Segovia, 4 de junio

Muy señor mío:
Quisiera reservar una habitación con cuarto de baño desde el 11 hasta el 28 de agosto inclusive.
Preferiría, si es posible, una habitación con vistas al mar.
Le ruego que me confirme la reserva de la habitación tan pronto como le sea posible. Le ruego que me mande también una tarifa de precios y detalles sobre los servicios que ofrece el hotel.
Agradeciéndole su pronta atención.
Le saluda atentamente,

Claudia de Santos

Socorro

Muy señor mío: – *Dear Sir*
quisiera reservar – *I would like to reserve*
le ruego que – *please (only in letters)*
me confirme – *confirm*
la reserva – *the reservation*
tan pronto como le sea posible – *at your earliest convenience*
me mande – *send me*
una tarifa de precios – *price list*
unos detalles – *details*
los servicios que ofrece el hotel – *hotel services*
agradeciéndole – *thanking you for*
su pronta atención – *your prompt attention*

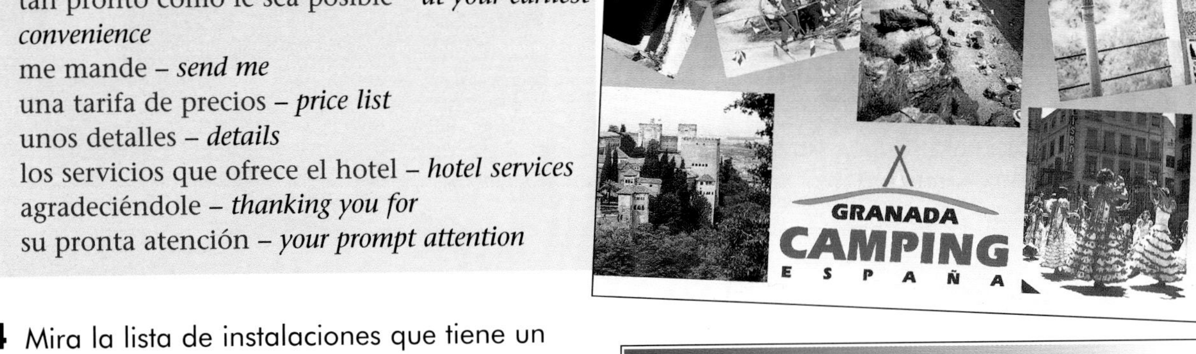

4 Mira la lista de instalaciones que tiene un camping, y empáréjalas con los dibujos.

1 caja de seguridad
2 tienda de regalos
3 cafetería
4 consulta médica camping
5 playa cercana
6 mini golf
7 pesca submarina
8 equitación
9 piscina cubierta
10 servicio de lavandería

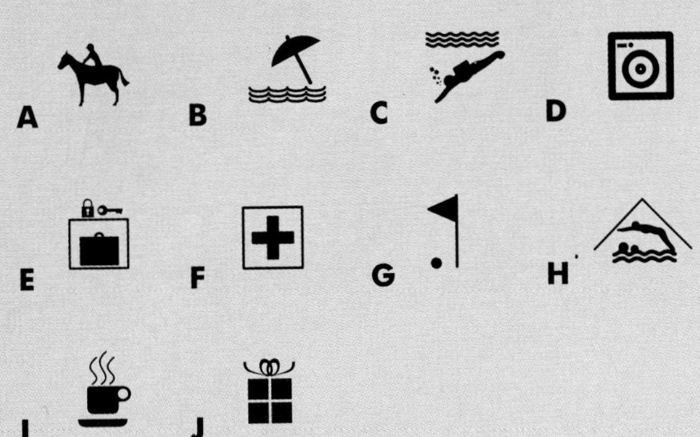

GRANADA ALREDEDORES

▲ SIERRA NEVADA
(1°) Granada, Avd. Madrid, 107.
Camping Motel. 15 marzo/15 octubre. ✆ 958/150062

▲ LOS ÁLAMOS
(2°) Granada, Ctra. Málaga y Sevilla
1 abril/30 octubre. ✆ 958/208479

SIERRA NEVADA ALPUJARRA

▲ LAS LOMAS
(1°) Güejar Sierra
enero/diciembre ✆ 958/470742

▲ EL BALCÓN DE PITRES
(2°) Pitres. Ctra. Orgiva-Ugíjar.
1 marzo/31 octubre ✆ 958/766111-12

COSTA TROPICAL

▲ CASTILLO DE BAÑOS
(2°) Castillo de Baños. N-340, km 360.
1 julio/30 septiembre ✆ 958/829528

▲ BELLA TERRA
(2°) Motril Playa poniente
1 enero/30 diciembre ✆ 958/820303

5a Escucha la cinta. Empareja las tres descripciones con tres de los campings.

5b Escribe una descripción de uno de los campings.

El camping ... está en ... Tiene ... Hay ...

6a Escucha la cinta. ¿Qué camping prefieren Ignacio y sus amigos? ¿Por qué?

6b Trabaja con tu compañero/a. Pregunta y contesta: ¿Qué camping prefiere y por qué?

¿Qué camping prefieres?
Prefiero Los Álamos porque está en los alrededores de Granada.
Pero no tiene canchas de tenis.
Pero tiene piscina.

 Llegamos al camping

1 Escucha la cinta y lee el diálogo. Escribe la información en la ficha.

16

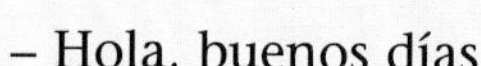

– Hola, buenos días.
– *Buenos días. ¿Hay sitio en el camping?*
– Sí, hay sitio. ¿Es para una tienda o una caravana?
– *Para dos tiendas.*
– ¿Y cuántas personas hay?
– *Somos cuatro.*
– ¿Por cuántas noches?
– *Por cinco noches.*
– ¿Cómo se llama usted?
– *Me llamo Ignacio Sanz.*
– Su pasaporte o carnet de identidad, por favor... Gracias. Son quince mil quinientas pesetas en total.

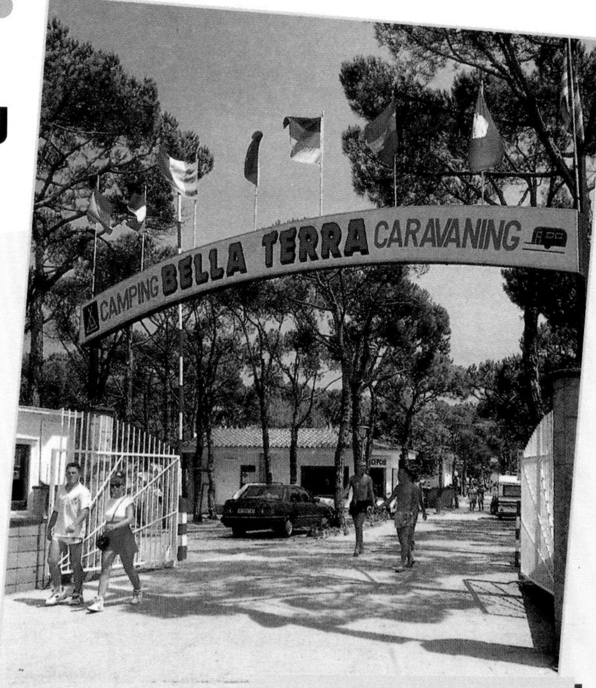

Camping Bella Terra

Precio por día	Ptas
adulto	500
niño	425
tienda individual	450
tienda familiar	550
coche	500
caravana	600
motocicleta	450
coche cama	725
autocar	1750

16 **2** Trabaja con tu compañero/a. Por turnos, haz los papeles del recepcionista del camping y los clientes del camping. Mira la información en la ficha.

3 Escucha la cinta y lee la información sobre el camping. Luego escribe una lista de las instalaciones que la familia va a usar.

M MUCHA SOMBRA
R SOMBRA MEDIANA
P POCA SOMBRA
RESTAURANTE
BAR CAFETERÍA
W.C.
LAVABOS
DUCHAS DE AGUA CALIENTE
TELÉFONO
CORREOS
CAMBIO DE MONEDA
SUPERMERCADO
SERVICIO LAVANDERÍA
ENCHUFES ELÉCTRICOS EN CARAVANAS
DESAGÜE DIRECTO EN CARAVANAS
PISCINA
PISCINA INFANTIL
PISTA DE TENIS
PESCA
PARQUE INFANTIL
PERROS
PARADA DE AUTOBÚS
FREGADEROS
ALQUILER MATERIAL CAMPING

4 Trabaja con tu compañero/a. Mira el plano del camping La Ballena Alegre. Pregunta si hay y dónde están las siguientes instalaciones.

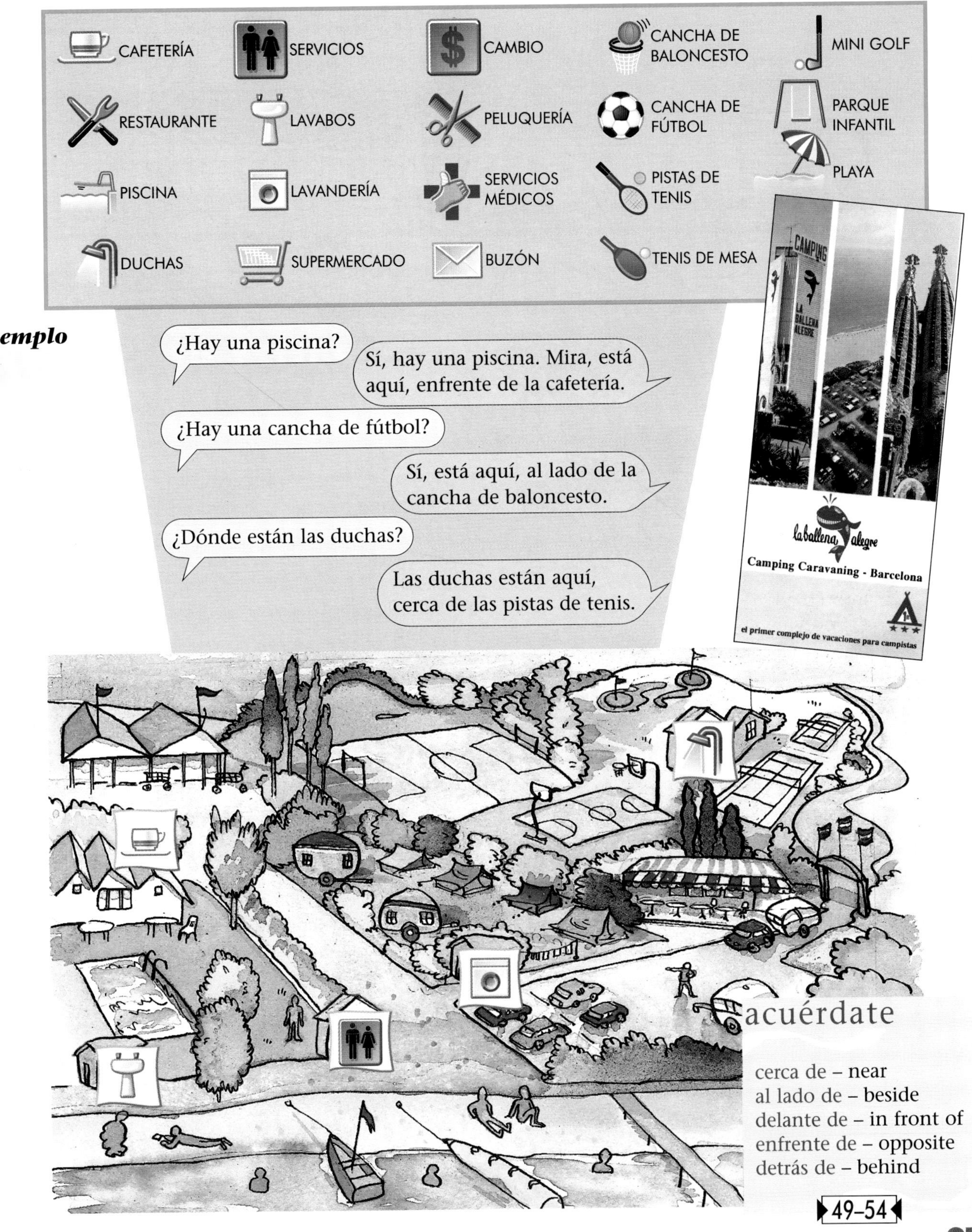

jemplo

¿Hay una piscina?

Sí, hay una piscina. Mira, está aquí, enfrente de la cafetería.

¿Hay una cancha de fútbol?

Sí, está aquí, al lado de la cancha de baloncesto.

¿Dónde están las duchas?

Las duchas están aquí, cerca de las pistas de tenis.

acuérdate

cerca de – near
al lado de – beside
delante de – in front of
enfrente de – opposite
detrás de – behind

49–54

5 Las normas

1 Elige la norma que corresponde a cada dibujo.

1 No se permiten animales en el camping.
2 ¡Cuidado, peligro de incendio! Se prohibe encender fuegos de leña.
3 Se ruega a los clientes guardar silencio de las 24.00 horas a las 7.00 horas.
4 Menores de 10 años tienen que estar acompañados por un adulto.
5 Sólo se admiten clientes del camping.
6 Se puede pagar con tarjeta de crédito.
7 El día de salida deben marcharse antes de las 12.00 horas.
8 Se prohibe fregar los platos en estos lavabos.

GRAMÁTICA

Se ruega guardar silencio.
Se prohibe encender fuegos.
Se puede pagar con tarjeta de crédito.
Se prohibe la entrada a menores de 10 años.
Aquí **se habla** español.

Sólo **se admiten** clientes del camping.
No **se permiten** animales.

¿Quieres saber más?
Mira la página 109.

2 Escucha la cinta y escribe las letras de los dibujos de la actividad 1 en el orden en que se mencionan.

3 Escucha la cinta y escribe un ✔ para las cosas que se pueden hacer y una ✘ para las cosas que no se pueden hacer.

1 ¿Se puede tener una caravana en el camping?
2 ¿Se puede tener un perro en el camping?
3 ¿Se puede pagar con tarjeta de crédito?
4 ¿Se puede usar la lavandería después de las 21.30 horas?
5 ¿Se puede nadar en la piscina sin estar acompañado?
6 ¿Se puede fregar los platos en el lavadero?

4 Trabaja con tu compañero/a. Haz las siguientes preguntas y contesta según las normas de los dibujos.

¿Se puede pagar con tarjeta de crédito?

¿Se puede tener un perro en el camping?

¿Se puede encender un fuego de leña para cocinar?

¿Pueden usar la piscina los niños sin estar acompañados por un adulto?

¿Se puede poner la radio a las seis de la mañana?

¿A qué hora hay que marcharse el día de salida?

¿Está la piscina del camping abierta al público?

5 Emplea estas palabras para escribir las normas de tu propio dormitorio.

Se puede/No se puede
Se prohibe
No/Se permite(n)

escuchar/poner música alta/baja
arreglar este dormitorio/hacer la cama/la entrada a chicos/chicas/adultos/animales
comer/beber/bailar/jugar al fútbol/estudiar en este dormitorio

6 En la oficina de turismo

 **1** Escucha la cinta. ¿Qué piden las personas? Empareja los dibujos de los artículos con las fotos de las personas.

1

2

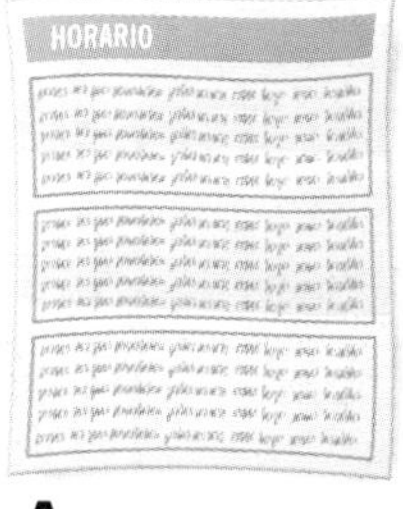

A

MUSEOS

B

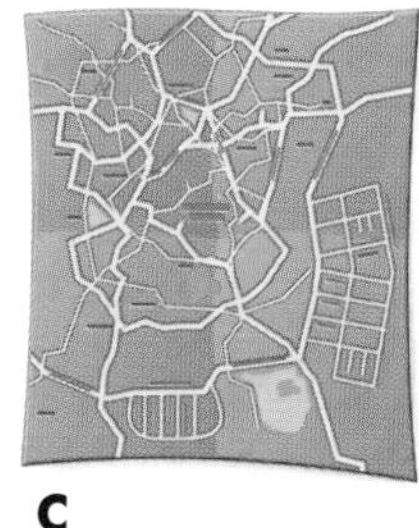

C

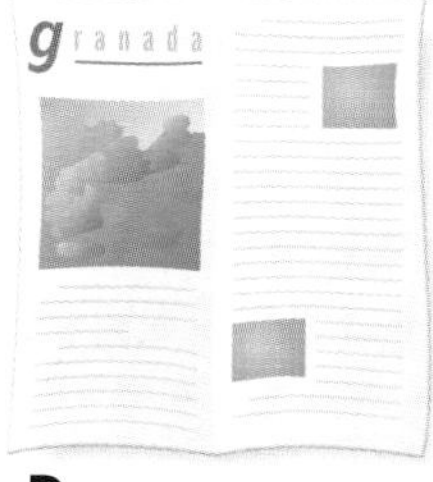

D

2 Trabaja con tu compañero/a. Imagina que estás en la oficina de turismo. Pide tres cosas diferentes.

ejemplo

¿Qué desea?

¿Tiene un folleto sobre facilidades deportivas?

Tome usted. ¿Algo más?

Un mapa de la región, por favor, y un horario de autocares.

Aquí tiene.

3 Escucha la cinta. ¿Qué información necesitan Ignacio y la chica inglesa?

4 Escucha la cinta. ¿Qué información necesitan las personas?

5 Trabaja con tu compañero/a. Pide información sobre tu ciudad.

¿Me puede decir si hay excursiones a la costa?

Sí hay, por autocar.

6 Describe lo que hay de interés en tu ciudad o zona. Escribe un folleto o prepara un discurso para turistas españoles.

7 Escucha la cinta y completa las frases.

La chica es ......
Vive en ....
Habla muy bien el ....
El español es su ....
La asignatura preferida de Ignacio es el ....
La chica está de ....
El camping se llama ....
Ignacio está en el mismo ....
La chica se llama ....

 En la comisaría

 **1a** Escucha la cinta. ¿Qué ha perdido Katie? Describe lo que ha perdido.

1

¡Ay! ¿Dónde está mi bolso?

¿Dónde lo dejaste?

Lo dejé en el suelo...
¡Me han robado!

Vamos a la comisaría.

2

Más tarde en la comisaría ...

¿Cómo puedo ayudarle?

He perdido mi bolso.

¿Cuándo lo perdió?

Hace una hora.

3

¿Cómo es el bolso?

Es negro. Es grande
y es de cuero.

¿Es nuevo?

No es nuevo, es viejo.

4

¿Qué contiene?

Contiene mi cámara.

5

¿Algo más?

Mi monedero.

18 **1b** Rellena la ficha del policía.

2a Lee los anuncios. Empareja los bolsos con las descripciones.

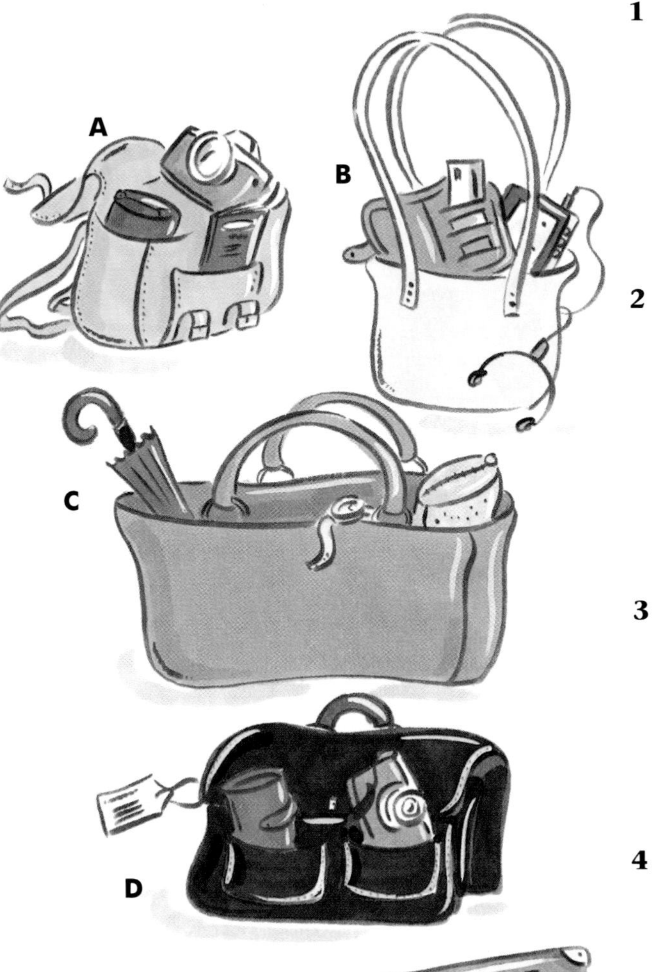

1

PERDIDA. Maleta azul. Es grande y contiene ropa y regalos. Lleva nombre y dirección. Perdido sábado 27, en Hotel Juan Bravo. Tel. 273994. Recompensa.

2

PERDIDA. Mochila verde de tela. Es pequeña, vieja y contiene cámara, monedero y pasaporte estadounidense. Perdido lunes tarde en estación Atocha. Se necesita documentación urgentemente. Se gratificará. Tel. 425591.

3

PERDIDO. Billetero en bolsa amarilla de plástico. Contiene tarjetas de crédito. Bolsa también contiene Walkman. Tel. 657331.

4

PERDIDO. Bolso de cuero marrón. Contiene paraguas, monedero y reloj de plata. Se gratificará. Tel. 962154.

5

PERDIDO. Bolso de cuero negro. Contiene cámara y monedero. Lleva nombre y dirección. Perdido día 11 en el barrio antiguo entre las 10h - 11h. Se gratificará. Tel. 357954.

2b Trabaja con tu compañero/a. Por turnos, haz el papel de un turista que ha perdido uno de los bolsos de la actividad 2a.

¿Qué ha perdido?

He perdido una maleta.

8 Vamos de tapas

1 Escucha la cinta y contesta las preguntas.

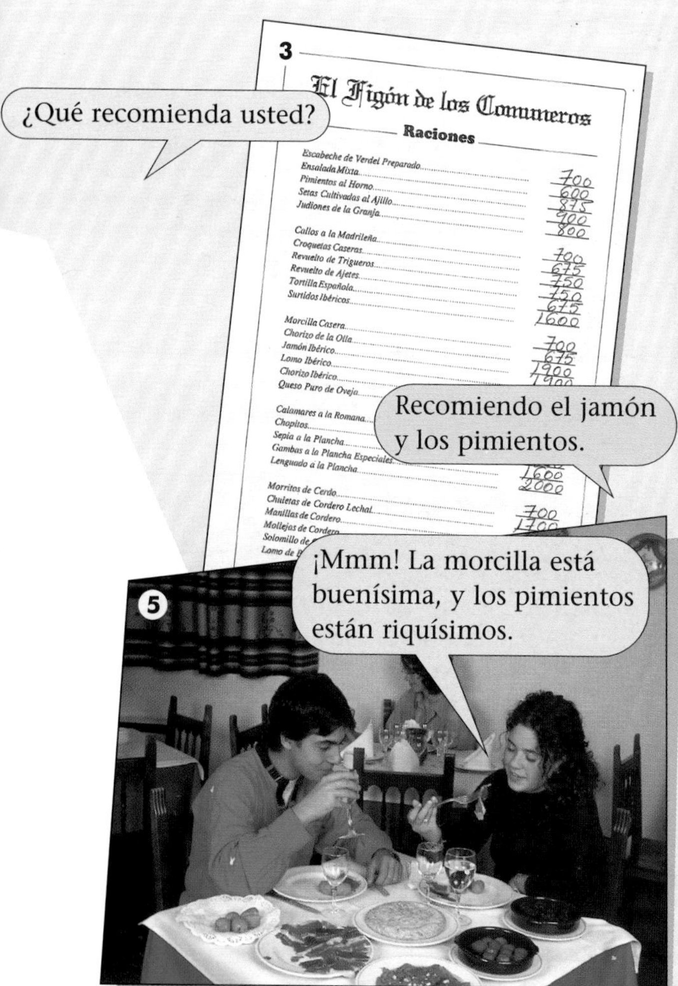

1 ¿Qué tiene Katie?
2 ¿Qué hace Ignacio?
3 ¿Qué recomienda el camarero?
4 ¿Qué van a cenar?
5 ¿Qué van a beber?
6 ¿Qué no quieren?
7 ¿Qué dejan de propina?

19

2 Escucha la cinta. ¿Qué van a tomar las personas?

3 Mira la carta. Trabaja con tus compañeros. Uno hace el papel del camarero. Elige algo de comer y beber.

¿Qué van a tomar?
Para mí, pimientos ...
¿Y para beber?
Agua mineral.
¿Van a tomar postre?
Sí, flan, por favor.

El Figón de los Commeros

Raciones

Escabeche de Verdel Preparado	700
Ensalada Mixta	600
Pimientos al Horno	875
Setas Cultivadas al Ajillo	900
Judiones de la Granja	800
Callos a la Madrileña	700
Croquetas Caseras	675
Revuelto de Trigueros	750
Revuelto de Ajetes	750
Tortilla Española	675
Surtidos Ibéricos	1600
Morcilla Casera	700
Chorizo de la Olla	675
Jamón Ibérico	1900
Lomo Ibérico	1900
Chorizo Ibérico	875
Queso Puro de Oveja	775
Calamares a la Romana	800
Chopitos	850
Sepia a la Plancha	825
Gambas a la Plancha Especiales	1600
Lenguado a la Plancha	2000
Morritos de Cerdo	700
Chuletas de Cordero Lechal	1700
Manillas de Cordero	925
Mollejas de Cordero	1500
Solomillo de Choto	1900
Lomo de Buey "Entrecot"	1850

4 Mira la carta y trabaja con tu compañero/a. ¿Qué te parecen los platos?

¿Qué te parecen las croquetas?
Me parecen riquísimas.

5 En España generalmente hay que dejar propina. Normalmente la propina es 10% de la cuenta. Mira los siguientes totales. ¿Cuánto debes dejar de propina en cada caso?

1 3.450 ptas.
2 10.350 ptas.
3 7.540 ptas.
4 12.760 ptas.
5 13.520 ptas.

GRAMÁTICA

rico – tasty, riquísimo – very tasty
bueno – good, buenísimo – very good
malo – bad, malísimo – very bad

¿Quieres saber más?
Mira la página 105.

9 Tu mundo es único, ¡cuídalo!

1 Escucha y lee.

¿Qué aspectos de la ecología y el medio ambiente son importantes para los jóvenes españoles? ¿Qué les preocupa? ¿Qué aspectos podemos considerar ahora, en la época del verano y las vacaciones? Escucha las siguientes opiniones. ¿Estás de acuerdo con lo que dicen estos chicos?

HOLA. ME LLAMO MÓNICA.

Me interesan mucho los animales y la naturaleza. Muchas especies, en España y en otras partes del mundo, están en peligro de extinción. Tenemos que protegerlos.

ME LLAMO ANA MARÍA.

Pienso que hoy en día es peligroso tomar el sol. Hay más casos de cáncer de piel por falta de ozono. Hay que tener cuidado en el verano.

MI NOMBRE ES FERNANDO.

Creo que un problema muy grave es la contaminación del aire. Es peor en el verano, sobre todo en las grandes ciudades como Madrid, cuando hace mucho calor. Debemos usar el transporte público, ir en bicicleta o a pie.

ME LLAMO DANIEL PARDO.

Me preocupa mucho la desforestación. Las selvas están desapareciendo rápidamente y esto causa grandes problemas para el clima y el futuro del mundo. Lo que podemos hacer en nuestro país es evitar los incendios forestales, plantar más árboles y usar el papel reciclado.

HOLA. ME LLAMO JAVIER.

A mí me molesta mucho el ruido y la basura en la calle. Tenemos que ser responsables de nuestro medio ambiente.

GRAMÁTICA

me preocupa – it worries/concerns me
me molesta – it bothers/annoys me
me interesa – it interests me

¿Quieres saber más?
Mira la página 119.

SOCORRO

la naturaleza – *nature*
las especies – *species*
estar en peligro de extinción – *to be in danger of extinction*
proteger – *to protect*
la contaminación – *pollution*
peligroso – *dangerous*
por falta de – *due to lack of*
tener cuidado – *to be careful*
pienso – *I think*
creo – *I believe*
la desforestación – *deforestation*
la selva – *forest*
el clima – *climate*
evitar – *to avoid*
el ruido – *noise*
el medio ambiente – *environment*

2 Empareja cada uno de los problemas con una solución apropiada.

1. Me preocupa la desforestación.
2. Creo que la contaminación del aire es un problema grave.
3. Me molesta el ruido y la basura en la calle.
4. Muchas especies de animales y plantas están en peligro de extinción.
5. La falta de ozono es peligroso y causa más casos de cáncer de piel.
6. Los recursos naturales del mundo se están gastando rápidamente.
7. La escasez de agua es un problema grave en muchas partes del mundo.
8. Los problemas que amenazan al mundo son tan enormes que creo que el esfuerzo individual no tiene importancia.

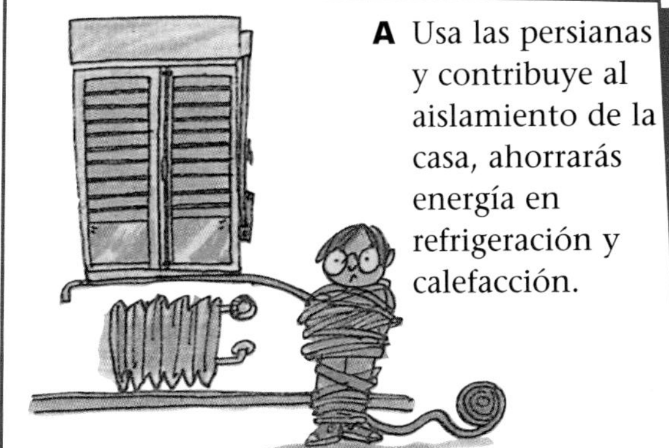

A Usa las persianas y contribuye al aislamiento de la casa, ahorrarás energía en refrigeración y calefacción.

B Usar el transporte público ayuda al medio ambiente.

C Di no a las mascotas. Si quieres animales, los hay domésticos.

D Compartir es la mejor forma de comprender.

E Cuida tu higiene, pero no desperdicies el agua.

F Planta una (o mil) plantas.

G Elige productos de aseo y limpieza que no usen CFC como propelantes.

H Evitar hacer ruidos innecesarios.

3 Escribe sobre los problemas ecológicos que te preocupan más o que son más evidentes en tu barrio.

4 Diseña un póster para una campaña ecológica.

55–60

1 Escucha la canción.

Marisabel

La luna estaba brillando
junto a las olas del mar.
Cantando con mi guitarra
para ti Marisabel.

El sol se fue caminando
junto a las olas del mar.
Tenía celos de tus ojos
y tu forma de mirar.

Estribillo
Coge tu sombrero y póntelo.
Vamos a la playa, calienta el sol.
Coge tu sombrero y póntelo.
Vamos a la playa, calienta el sol.
Chiribiribí poro pon pon
Chiribiribí poro pon pon
Chiribiribí poro pon pon
para ti Marisabel.
Chiribiribí poro pon pon
Chiribiribí poro pon pon
Chiribiribí poro pon pon
para ti Marisabel.

En la arena escribí tu nombre,
y luego yo lo borré
para que nadie pisara
tu nombre Marisabel.

En la arena escribí tu nombre,
y luego yo lo borré
para que nadie pisara
tu nombre Marisabel.

(Estribillo)

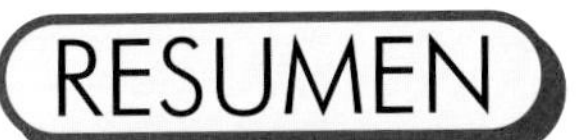

Now you can:

- ask about and describe a past holiday

  ¿Adónde fuiste de vacaciones el año pasado?
  ¿Fuiste solo o con tu familia? ¿Qué tal fue?
  Fui a Francia. Fui solo y fue un desastre.

- plan a future holiday

  ¿Adónde vamos a ir? ¿Cómo vamos a ir?
  ¿Dónde vamos a quedarnos?
  Vamos a ir a Sierra Nevada en tren y vamos a hacer camping.

- enquire about availability and book a room in a hotel

  ¿Tiene habitaciones libres para principios de agosto?
  Quisiera reservar una habitación individual y una doble por una semana.

- book in at a campsite

  ¿Hay sitio en el camping para una tienda y una caravana?
  ¿Por cuántas noches? Por tres noches.

- ask and understand where facilities are

  ¿Hay una lavandería?
  Sí, está aquí, detrás del supermercado.

- ask about and understand rules

  ¿Se puede tener animales en el camping?
  ¿A qué hora hay que marcharse el día de salida?
  No se permiten animales en el camping.
  Se prohibe encender fuegos de leña.

- ask for and understand information in a tourist office

  ¿Qué hay de interés en Granada?
  Pues, hay el barrio antiguo del Albaicín.

- ask about and understand opening and closing times

  ¿Me puede decir a qué hora abre La Alhambra por la mañana?
  En verano abre a las 9.30 y cierra a las 21.30.

- ask and understand about prices

  ¿Cuánto cuesta la entrada?

- enquire about hiring transport or sports equipment

  Cuesta 500 pesetas. Pero es gratis los domingos por la tarde.
  ¿Me puede decir si es posible alquilar bicicletas?

- make a report about lost or stolen belongings

  He perdido mi bolso.
  Lo perdí en la oficina de turismo.
  Es negro y es de cuero.

- order food in a restaurant

  Para mí croquetas y morcilla.
  Para beber, agua mineral y de postre un flan.

- discuss and understand information about global issues

  Me preocupa la desforestación de las selvas tropicales.
  Creo que un problema muy grave es la contaminación del aire.

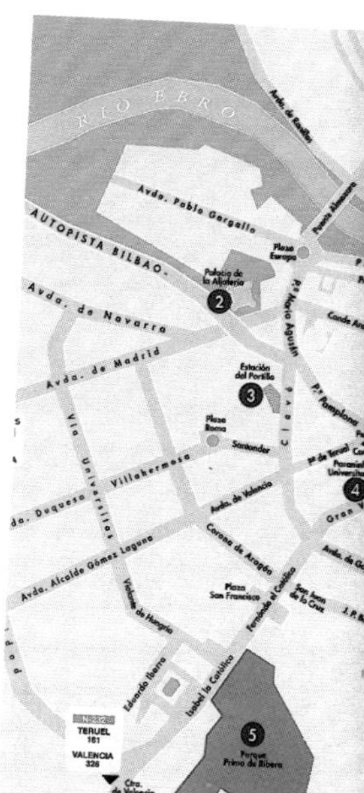

Resumen de gramática - Grammar summary

NOUNS

Nouns in Spanish are either masculine or feminine:

masculine	*feminine*
diccionario (dictionary)	mochila (rucksack)

Add an 's' to make nouns plural in most cases: diccionario**s**, mochila**s**.

For nouns that end in a consonant, add 'es' to make the plural:

singular	*plural*
ordenador (computer)	ordenador**es** (computers)

Some words gain or lose an accent in the plural:

joven (young person)	j**ó**venes (young people)
jardín (garden)	jard**i**nes (gardens)

Words ending in 'z' in the singular change the 'z' to a 'c' then add 'es' for the plural:

lápiz (pencil)	lápi**ces** (pencils)

ARTICLES

Definite articles

The word for 'the' changes according to whether the noun is masculine (m), feminine (f) or plural:

m. singular	*m. plural*	*f. singular*	*f. plural*
el sello (the stamp)	**los** sellos (the stamps)	**la** tarjeta (the card)	**las** tarjetas (the cards)

Indefinite articles

Similarly, the words for 'a', 'an' and 'some' change:

m. singular	*m. plural*	*f. singular*	*f. plural*
un bolígrafo	**unos** bolígrafos	**una** película	**unas** películas
(a biro)	(some biros)	(a film)	(some films)

Sometimes the article is not needed in Spanish:

Soy ingeniero. I am an engineer. No tengo primos. I have not got any cousins.

ADJECTIVES

Adjectives agree with the noun they describe so they have masculine, feminine and plural forms too:

m. singular	*m. plural*	*f. singular*	*f. plural*
nuev**o** (new)	nuev**os**	nuev**a**	nuev**as**
un libro nuevo	unos libros nuevos	la tienda nueva	las tiendas nuevas

They add an 's' to become plural as you can see in the examples above. Many adjectives end in 'o' for the masculine form and 'a' for the feminine, but there are some exceptions, for example:

m. and f. singular	*m. and f. plural*
fácil (easy)	fáciles
difícil (difficult)	difíciles
interesante (interesting)	interesantes
popular (popular)	populares
trabajador, trabajadora (hard-working)	trabajadores, trabajadoras

Comparatives

Use más/menos ... que with adjectives to make comparisons:

El fútbol es **más** popular **que** el hockey. Football is more popular than hockey.
El francés es **menos** difícil **que** el ruso. French is less difficult than Russian.

Some adjectives have irregular comparative forms:
bueno (good) mejor (better)
malo (bad) peor (worse)

Ronaldo es **mejor que** Faustino Asprilla. Ronaldo is better than Faustino Asprilla.
Los discos compactos son **mejores que** las cintas. CDs are better than tapes.
El invierno es **peor que** el verano. Winter is worse than summer.
Los exámenes son **peores que** los deberes. Exams are worse than homework.

Superlatives

Add el, la, los or las to más/menos (or to mejor/peor) to make superlatives:

Soy **la más** baja de mi familia. I am the shortest person in my family.
¿Cuál es **la** ciudad **más** grande del mundo? Which is the biggest city in the world?
Mateo es **el mejor** futbolista de la clase. Mateo is the best footballer in the class.
Acabo de ver **la peor** película del año. I have just seen the worst film of the year.

The endings ísimo, ísima, ísimos and ísimas add emphasis to adjectives:

Es un jugador buen**ísimo**. He is a brilliant player.
Estas tapas son riqu**ísimas**. These tapas are delicious.
Los programas eran divertid**ísimos**. The programmes were very funny.

Write some sentences expressing your opinions using adjectives, comparatives and superlatives.

Possessive adjectives

	m. and f. singular		*m. and f. plural*	
my	**mi** gorro (cap)		**mis** gorros	
your (*tú*)	**tu** carpeta (folder)		**tus** carpetas	
his/her/ its/ your (*usted*)	**su** estuche (pencil case)		**sus** estuches	
	m. singular	*f. singular*	*m. plural*	*f. plural*
our	**nuestro** libro	**nuestra** cámara	**nuestros** libros	**nuestras** cámaras
your (*vosotros*)	**vuestro** ordenador	**vuestra** mesa	**vuestros** ordenadores	**vuestras** mesas
	m. and f. singular		*m. and f. plural*	
their your (*ustedes*)	**su** dormitorio		**sus** dormitorios	

Demonstrative adjectives

The words for 'this', 'these', 'that' and 'those' agree with the nouns they describe:

	m. singular	*m. plural*	*f. singular*	*f. plural*
this/these	**este** cinturón	**estos** cinturones	**esta** muñeca	**estas** muñecas
that/those	**ese** abanico	**esos** abanicos	**esa** pulsera	**esas** pulseras
	aquel reloj	**aquellos** relojes	**aquella** gorra	**aquellas** gorras

Notice that there are two words for 'that' in Spanish: ese and aquel. Aquel describes something that is further away.

PRONOUNS

Demonstrative pronouns

These follow the same pattern as demonstrative adjectives, but they have an accent on the first 'e'.

Ese pañuelo es precioso pero prefiero **é**ste.
Estas gafas de sol son elegantes pero aqu**é**llas son geniales.
Esta camisa es bonita pero **é**sa me gusta más.

Subject pronouns

singular		*plural*	
I	yo	we	nosotros (m) nosotras (f)
you	tú (familiar)	you	vosotros (m) vosotras (f) (familiar)
he, it	él	they	ellos (m) ellas (f)
she, it	ella		
you	usted (polite)	you	ustedes (polite)

Object pronouns

me	me	you	os (plural)
you	te (familiar)	them, those, you	les, los (m) (polite)
he, it, you	le, lo (polite)	them, those, you	las (f) (polite)
she, it, you	la (polite)		
us	nos		

Escríbe**me** pronto.	Write to me soon.
Te llamaré mañana.	I will call you tomorrow.
¿En qué puedo ayudar**le**?	How can I help you?
Este reloj no funciona. Quiero cambiar**lo**.	This watch does not work. I want to change it.
Aquellas gafas de sol son bonitas. ¿Puedo probar**las**?	Those sunglasses are pretty. May I try them on?

NUMBERS

Cardinal numbers

The number one and other numbers ending in uno or cientos agree with the noun they describe. Other numbers do not agree.

Uno

Uno becomes **un** before a noun: un litro de limonada.

Cien

Cien gramos de jamón serrano
Ciento cincuenta gramos de chorizo
Doscientos gramos de queso

Mil

Mil novecientos noventa y ocho – 1998
Dos mil – 2000

Primero

Primero becomes **primer** before a masculine noun:
el primer piso (the first floor in a block of flats).
Primera remains the same: la primera vez.

Dates

el uno de mayo (May 1st)
el dos de mayo (May 2nd)
el tres de mayo (May 3rd)

Ordinal numbers

first 1º el primero (m) 1ª la primera (f)

1º/a	primero/a	6º/a	sexto/a
2º/a	segundo/a	7º/a	séptimo/a
3º/a	tercero/a	8º/a	octavo/a
4º/a	cuarto/a	9º/a	noveno/a
5º/a	quinto/a	10º/a	décimo/a

last el último (m) la última (f)

QUESTIONS

In Spanish, questions start with an upside-down question mark. Unlike in English, the word order in questions is the same as the word order in statements.

¿Piensas seguir estudiando cuando termines el colegio?	Do you want to go on studying when you leave school?
¿Has aprobado todos los exámenes?	Have you passed all your exams?
¿Siempre haces los deberes a tiempo?	Do you always do your homework on time?
¿Tienes miedo de las arañas?	Are you afraid of spiders?
¿Está en casa tu hermana?	Is your sister at home?

Questions with question words

¿**Quién** es?	Who is it?
¿**Quiénes** son?	Who are they?
¿**Qué** tiempo hacía?	What was the weather like?
¿**Qué** hay para merendar?	What is there for tea?
¿**Qué** quieres hacer en el futuro?	What do you want to do in the future?
¿A **qué** hora termina la película?	At what time does the film end?
¿En **qué** trabajan tus padres?	What kind of work do your parents do?
¿**Dónde** está la parada de autobuses?	Where is the bus stop?
¿**Adónde** vas?	Where are you going?
¿Por **dónde** se va a los servicios?	Where are the toilets?
¿**Cuándo** fuiste a España?	When did you go to Spain?
¿**Cuál** es tu bolígrafo?	Which is your pen?
¿**Cuáles** son las ventajas de ser profesor?	What are the advantages of being a teacher?
¿**Cuánto** es?	How much is it?
¿**Cuántos** alumnos hay en tu instituto?	How many pupils are there at your school?
¿**Cuántas** horas trabajas al día?	How many hours do you work each day?
¿**Cuánto** cuesta un sello para mandar una carta a Inglaterra?	How much does it cost for a stamp to send a letter to England?
¿**Cuánto** tiempo dura el recreo?	How long is break?

¿**Cómo** eras cuando tenías 5 años? — What were you like when you were 5 years old?

¿**Por qué** quieres ser policía? — Why do you want to be a policeman/woman?
(Porque ...) — (Because ...)

Por qué and porque
¿Por qué ... ? is the question (Why ... ?)
Porque ... is the answer (Because ...)

NEGATIVES

The following are negative words:
nada (nothing)
nadie (no-one)
ni ... ni (neither ... nor)
ninguno/ninguna/ningunos/ningunas (none)
no (no)
nunca/jamás (never)

Negative sentences usually start with 'no':
No me gusta el queso. I do not like cheese.
No tengo hermanas. I have not got any sisters.

There can be two or more negative words in a sentence:
No tengo **nada**. — I have not got anything.
No pido ayuda a **nadie**. — I do not ask anyone for help.
No voy **nunca**. — I never go.
No me gusta **ninguna** asignatura. — I do not like any subject.
No como **ni** carne **ni** pescado. — I eat neither meat nor fish.
No pienso hacer camping **nunca jamás**. — I never want to go camping again.

When sentences start with a negative word 'no' is not needed:
Nunca hago las compras. — I never do the shopping.
Nadie llegó tarde. — No-one arrived late.
Ningunos de los alumnos han hecho los deberes. — None of the pupils have done the homework.

VERBS

The familiar form
You use this form when you are talking to friends, relations and children. Use the tú form for one person and the vosotros/vosotras form for more than one person.

The polite form
You use this form when you are talking to adults who are not close friends or relatives. Use the usted form for one person and the ustedes form for more than one person.

In Spanish, you do not usually need to use the subject pronouns (yo, tú, él, etc.) because the verb endings show which person is referred to.

Verbs with infinitives
Acabar de + infinitive is used to describe something that has just happened:
Acabo de ver una película genial. — I have just seen a brilliant film.
Acaba de llegar el tren. — The train has just arrived.

Ir a + infinitive is for talking about things that are going to happen soon:

Voy a ir a España en agosto.	I am going to go to Spain in August.
¿Cuándo vas a venir?	When are you going to come?

Deber + infinitive is useful for describing what you ought to do:

Para tener buena salud debes comer bien y no debes fumar.	To be healthy you should eat well and you should not smoke.

Tener que + infinitive describes what you have to do:

Tengo que ir al banco.	I have to go to the bank.
Tienes que venir porque va a ser una fiesta estupenda.	You have to come because it is going to be a great party.

Tener idioms

Tener is used to describe physical feelings:

Tengo hambre/sed.	I am hungry/thirsty.
Tengo calor/frío.	I am hot/cold.
Tengo miedo/sueño.	I am frightened/sleepy.

Tener ganas de + infinitive also describes what you feel like:

Tengo ganas de llorar.	I feel like crying.
Tengo ganas de vomitar.	I feel sick.

Llevar and hacer

Llevar and hacer can be used to talk about something that starts in the past and continues in the present:

Llevo dos años jugando en este equipo.	I have been playing in this team for two years.
Hace cinco años que vivimos en Madrid.	We have been living in Madrid for five years.
¿Cuánto tiempo hace que estudias ballet?	How long have you been learning ballet?
¿Cuántos años llevas aprendiendo español?	How many years have you been learning Spanish?

The impersonal form with 'se'

Use the third person singular with 'se' and an infinitive in sentences such as:

Se puede alquilar bicicletas.	It is possible to hire bikes.
Se prohibe encender fuegos.	It is forbidden to light fires.
Se ruega a los alumnos guardar silencio en la biblioteca.	Pupils are requested to be silent in the library.

The present continuous tense

The present continuous describes something that is happening at the time of speaking:

¿Qué estás haciendo?	What are you doing?
Estoy leyendo.	I am reading.

It is formed by adding the gerund (-ing) to the present tense of estar:

	-ar	-er	-ir
Estoy (I am)	habl-ando (talking)	com-iendo (eating)	sal-iendo (going out)

Note the irregular gerund form of these verbs:

dormir (to sleep)	durmiendo
seguir (to follow/continue)	siguiendo
sentir (to feel)	sintiendo
vestir (to dress)	vistiendo

The perfect tense

The perfect tense is used to describe recent past events or things that have happened in a period of time that has not finished yet:

Hoy he lavado el coche.	I have washed the car today.
Mi hermana ha salido a dar un paseo.	My sister has gone out for a walk.
Hemos estudiado mucho este año.	We have studied a lot this year.

The perfect tense is formed using the present tense of haber and the past participle of the verb:

haber	-ar	-er	-ir	
he	trabajado	comido	salido	I have worked/eaten/gone out
has				you have
ha				he, she, it, you (polite form)
hemos				we
habéis				you
han				they, you (polite form)

Some verbs have irregular participles:

abrir (to open)	He abierto la lata.	I have opened the tin.
escribir (to write)	He escrito la carta.	I have written the letter.
hacer (to make/do)	He hecho la cama.	I have made the bed.
poner (to put)	He puesto la ropa en la lavadora.	I have put the clothes in the washing machine.
romper (to break)	¡Has roto mi burro de cerámica!	You have broken my pottery donkey!
ver (to see)	No le he visto hoy.	I have not seen him today.
volver (to return)	No han vuelto todavía.	They have not come back yet.

The imperfect tense

Use the imperfect tense to describe the following in the past:

- things that used to happen :

Cuando tenía 5 años me gustaba ir al parque todos los días. When I was 5 years old I liked to go to the park every day.

- places, objects and people:

La chica era alta, tenía el pelo largo y llevaba gafas. The girl was tall, had long hair and wore glasses.

- background description that is secondary to the main action:

Eran las doce de la noche. Hacía viento y llovía. El asesino entró en la casa con un cuchillo muy largo. It was midnight. It was windy and it was raining. The murderer entered the house with a long knife.

The imperfect is formed by replacing the infinitive endings -ar, -er, -ir with the imperfect endings:

	-ar	
jugar (to play)	jug**aba**	I used to play
	jug**abas**	you used to play
	jug**aba**	he, she, it, you (polite form) used to play
	jug**ábamos**	we used to play
	jug**abais**	you used to play
	jug**aban**	they, you (polite form) used to play

	-er	
comer (to eat)	com**ía**	I used to eat
	com**ías**	you used to eat
	com**ía**	he, she, it, you (polite form) used to eat
	com**íamos**	we used to eat
	com**íais**	you used to eat
	com**ían**	they, you (polite form) used to eat

Verbs ending in -ir take the same imperfect endings as -er verbs:

vivir (to live)	vivía	I used to live
dormir (to sleep)	dormía	I used to sleep
salir (to go out)	salía	I used to go out

Ir (to go) and ser (to be) are irregular in the imperfect:

ir	iba, ibas, iba, íbamos, ibais, iban
ser	era, eras, era, éramos, erais, eran

The future tense

Form the future tense by adding these endings to any infinitive:

comprar**é**	I will buy
comprar**ás**	you will buy
comprar**á**	he, she, it, you (polite form) will buy
comprar**emos**	we will buy
comprar**éis**	you will buy
comprar**án**	they, you (polite form) will buy

The verbs with an irregular form in the future tense have the same irregular stem in the conditional:

tener (to have)	tendré	I will have	
venir (to come)	vendré	I will come	
poner (to put)	pondré	I will put	
salir (to go out)	saldré	I will go out	
saber (to know)	sabré	I will know	
poder (to be able)	podré	I will be able	
haber (to have)	habré	I will have	(habrá there will be)
decir (to say)	diré	I will say	
hacer (to make/do)	haré	I will do/make	
querer (to like/love)	querré	I will love/like	

Write a list of ten good resolutions for the future.

The conditional tense

Form the conditional by adding the following endings to the infinitive form of the verb:

ser**ía**	I would be
ser**ías**	you would be
ser**ía**	he, she, it, you (polite form) would be
ser**íamos**	we would be
ser**íais**	you would be
ser**ían**	they, you (polite form) would be

The endings are always the same:

ir**ía**	I would go
estar**ía**	I would be
tomar**ía**	I would take
comer**ía**	I would eat
dormir**ía**	I would sleep

But some verbs have an irregular stem in the conditional:

tener (to have)	tendría	I would have		
venir (to come)	vendría	I would come		
poner (to put)	pondría	I would put		
salir (to go out)	saldría	I would go out		
saber (to know)	sabría	I would know		
poder (to be able)	podría	I would be able		
haber (to have)	habría	I would have	(habría	there would be)
decir (to say)	diría	I would say		
hacer (to make/do)	haría	I would make/do		
querer (to like/love)	querría	I would like/love		

Regular verbs Group 1

tomar to take	*present*		*preterite*	
(yo)	tom**o**	I take	tom**é**	I took
(tú)	tom**as**	you take	tom**aste**	you took
(él/ella/ usted)	tom**a**	he/she/it takes you (polite form) take	tom**ó**	he/she/it took you (polite form) took
(nosotros/as)	tom**amos**	we take	tom**amos**	we took
(vosotros/as)	tom**áis**	you take	tom**asteis**	you took
(ellos/ellas/ ustedes)	tom**an**	they take you (polite form) take	tom**aron**	they took you (polite form) took

perfect		*imperfect*	
he tomado	I have taken	tom**aba**	I used to take
has tomado	you have taken	tom**abas**	you used to take
ha tomado	he, she, it, you (polite form) has/have taken	tom**aba**	he, she, it, you (polite form) used to take
hemos tomado	we have taken	tom**ábamos**	we used to take
habéis tomado	you have taken	tom**abais**	you used to take
han tomado	they, you (polite form) have taken	tom**aban**	they, you (polite form) used to take

future		*conditional*	
tomar**é**	I will take	tomar**ía**	I would take
tomar**ás**	you will take	tomar**ías**	you would take
tomar**á**	he, she, it, you (polite form) will take	tomar**ía**	he, she, it, you (polite form) would take
tomar**emos**	we will take	tomar**íamos**	we would take
tomar**éis**	you will take	tomar**íais**	you would take
tomar**án**	they, you (polite form) will take	tomar**ían**	they, you (polite form) would take

present continuous	
estoy tomando	I am taking
estás tomando	you are taking
está tomando	he, she, it, you (polite form) is/are taking
estamos tomando	we are taking
estáis tomando	you are taking
están tomando	they, you (polite form) are taking

Verbs which follow this pattern are:

ayudar	to help	llevar	to carry, to wear
bailar	to dance	mandar	to send
cambiar	to change	patinar	to skate
comprar	to buy	estudiar	to study
trabajar	to study	ganar	to win

Choose an -ar verb from the list and write out all the tenses in the first person singular.

Regular verbs Group 2

comer to eat

present	*preterite*	*perfect*	*imperfect*
com**o**	com**í**	he com**ido**, etc.	com**ía**
com**es**	com**iste**		com**ías**
com**e**	com**ió**		com**ía**
com**emos**	com**imos**		com**íamos**
com**éis**	com**isteis**		com**íais**
com**en**	com**ieron**		com**ían**

future	*conditional*	*present continuous*
comer**é**	comer**ía**	estoy com**iendo**, etc.
comer**ás**	comer**ías**	
comer**á**	comer**ía**	
comer**emos**	comer**íamos**	
comer**éis**	comer**íais**	
comer**án**	comer**ían**	

These verbs follow the same pattern as comer:

aprender	to learn
beber	to drink
correr	to run
deber	to owe, ought to

Ver and leer are similar:

ver to see

present	*preterite*	*perfect*	*imperfect*
ve**o**	v**i**	he v**isto**, etc.	ve**ía**
v**es**	v**iste**		ve**ías**
v**e**	v**io**		ve**ía**
v**emos**	v**imos**		ve**íamos**
v**eis**	v**isteis**		ve**íais**
v**en**	v**ieron**		ve**ían**

future	*conditional*	*present continuous*
ver**é**	ver**ía**	estoy v**iendo**, etc.
ver**ás**	ver**ías**	
ver**á**	ver**ía**	
ver**emos**	ver**íamos**	
ver**éis**	ver**íais**	
ver**án**	ver**ían**	

leer to read

present	*preterite*	*perfect*	*imperfect*
le**o**	le**í**	he le**ído**, etc.	le**ía**
le**es**	le**íste**		le**ías**
le**e**	le**yó**		le**ía**
le**emos**	le**ímos**		le**íamos**
le**éis**	le**ísteis**		le**íais**
le**en**	le**yeron**		le**ían**
future	*conditional*	*present continuous*	
leer**é**	leer**ía**	estoy le**yendo**, etc.	
leer**ás**	leer**ías**		
leer**á**	leer**ía**		
leer**emos**	leer**íamos**		
leer**éis**	leer**íais**		
leer**án**	leer**ían**		

Creer follows the same pattern as leer.

Regular verbs Group 3

vivir to live

present	*preterite*	*perfect*	*imperfect*
viv**o**	viv**í**	he viv**ido**, etc.	viv**ía**
viv**es**	viv**iste**		viv**ías**
viv**e**	viv**ió**		viv**ía**
viv**imos**	viv**imos**		viv**íamos**
viv**ís**	viv**isteis**		viv**íais**
viv**en**	viv**ieron**		viv**ían**
future	*conditional*	*present continuous*	
vivir**é**	vivir**ía**	estoy viv**iendo**, etc.	
vivir**ás**	vivir**ías**		
vivir**á**	vivir**ía**		
vivir**emos**	vivir**íamos**		
vivir**éis**	vivir**íais**		
vivir**án**	vivir**ían**		

Other verbs that follow this pattern:
escribir to write
salir to go out

Irregular verbs

ir to go

present	*preterite*	*perfect*	*imperfect*
voy	fui	he ido, etc.	iba
vas	fuiste		ibas
va	fue		iba
vamos	fuimos		íbamos
vais	fuisteis		ibais
van	fueron		iban

future	*conditional*	*present continuous*
iré	iría	estoy yendo, etc.
irás	irías	
irá	iría	
iremos	iríamos	
iréis	iríais	
irán	irían	

tener to have

present	*preterite*	*perfect*	*imperfect*
tengo	tuve	he tenido, etc.	tenía
tienes	tuviste		tenías
tiene	tuvo		tenía
tenemos	tuvimos		teníamos
tenéis	tuvisteis		teníais
tienen	tuvieron		tenían

future	*conditional*	*present continuous*
tendré	tendría	estoy teniendo, etc.
tendrás	tendrías	
tendrá	tendría	
tendremos	tendríamos	
tendréis	tendríais	
tendrán	tendrían	

hacer to do, to make

present	*preterite*	*perfect*	*imperfect*
hago	hice	he hecho, etc.	hacía
haces	hiciste		hacías
hace	hizo		hacía
hacemos	hicimos		hacíamos
hacéis	hicisteis		hacíais
hacen	hicieron		hacían

future	*conditional*	*present continuous*
haré	haría	estoy haciendo, etc.
harás	harías	
hará	haría	
haremos	haríamos	
haréis	haríais	
harán	harían	

poner to put

present	*preterite*	*perfect*	*imperfect*
pongo	puse	he puesto, etc.	ponía
pones	pusiste		ponías
pone	puso		ponía
ponemos	pusimos		poníamos
ponéis	pusisteis		poníais
ponen	pusieron		ponían
future	*conditional*	*present continuous*	
pondré	pondría	estoy poniendo, etc.	
pondrás	pondrías		
pondrá	pondría		
pondremos	pondríamos		
pondréis	pondríais		
pondrán	pondrían		

ser to be*

present	*preterite*	*perfect*	*imperfect*
soy	fui	he sido, etc.	era
eres	fuiste		eras
es	fue		era
somos	fuimos		éramos
sois	fuisteis		erais
son	fueron		eran
future	*conditional*	*present continuous*	
seré	sería	estoy siendo, etc.	
serás	serías		
será	sería		
seremos	seríamos		
seréis	seríais		
serán	serían		

estar to be*

present	*preterite*	*perfect*	*imperfect*
estoy	estuve	he estado, etc.	estaba
estás	estuviste		estabas
está	estuvo		estaba
estamos	estuvimos		estábamos
estáis	estuvisteis		estabais
están	estuvieron		estaban
future	*conditional*	*present continuous*	
estaré	estaría	estoy estando, etc.	
estarás	estarías		
estará	estaría		
estaremos	estaríamos		
estaréis	estaríais		
estarán	estarían		

* There are two verbs meaning 'to be': ser and estar.

Ser

Ser is for describing permanent, unchanging things:

Soy español/española.	Mi dormitorio es grande.

It is also used for time:

¿Qué hora es?	Es la una. Son las dos.

Estar

Estar describes positions and temporary conditions:

¿Dónde está la cafetería?	Está enfrente del banco.
¿Dónde estás?	Estoy en la estación.

It is also used in certain phrases to describe the weather:

Está lloviendo. Está nublado.

Radical changing verbs

Some verbs follow a pattern in which the middle letters change:

jugar to play

present	*preterite*
juego	jugué
juegas	jugaste
juega	jugó
jugamos	jugamos
jugáis	jugasteis
juegan	jugaron

For other tenses jugar follows the same pattern as -ar verbs in group 1.

querer to want, to love

present	*preterite*	*perfect*	*imperfect*
quiero	quise	he querido, etc.	quería
quieres	quisiste		querías
quiere	quiso		quería
queremos	quisimos		queríamos
queréis	quisisteis		queríais
quieren	quisieron		querían

future	*conditional*	*present continuous*
querré	querría	estoy queriendo, etc.
querrás	querrías	
querrá	querría	
querremos	querríamos	
querréis	querríais	
querrán	querrían	

poder to be able (can)

present	*preterite*	*perfect*	*imperfect*
puedo	pude	he podido, etc.	podía
puedes	pudiste		podías
puede	pudo		podía
podemos	pudimos		podíamos
podéis	pudisteis		podíais
pueden	pudieron		podían
future	*conditional*	*present continuous*	
podré	podría	estoy pudiendo, etc.	
podrás	podrías		
podrá	podría		
podremos	podríamos		
podréis	podríais		
podrán	podrían		

dormir to sleep

present	*preterite*	*perfect*	*imperfect*
duermo	dormí	he dormido, etc.	dormía
duermes	dormiste		dormías
duerme	durmió		dormía
dormimos	dormimos		dormíamos
dormís	dormisteis		dormíais
duermen	durmieron		dormían
future	*conditional*	*present continuous*	
dormiré	dormiría	estoy durmiendo, etc.	
dormirás	dormirías		
dormirá	dormiría		
dormiremos	dormiríamos		
dormiréis	dormiríais		
dormirán	dormirían		

sentir to feel

present	*preterite*
siento	sentí
sientes	sentiste
siente	sintió
sentimos	sentimos
sentís	sentisteis
sienten	sintieron

Sentir follows the same pattern as vivir in the other tenses but note that the gerund is sintiendo. Vestir (to dress) and divertir (to enjoy) are like sentir. Their third person forms in the preterite change the first 'e' to 'i': vistió, vistieron; divirtió, divirtieron. Also the gerund for the present continuous follows the same pattern: vistiendo, divirtiendo.

Reflexive verbs

Reflexive verbs have object pronouns before the different parts of the verb.

bañarse to bathe, to have a bath

present	*preterite*	*perfect*	*imperfect*
me baño	me bañé	me he bañado, etc.	me bañaba
te bañas	te bañaste		te bañabas
se baña	se bañó		se bañaba
nos bañamos	nos bañamos		nos bañábamos
os bañáis	os bañasteis		os bañabais
se bañan	se bañaron		se bañaban

future	*conditional*	*present continuous*
me bañaré	me bañaría	me estoy bañando, etc.
te bañarás	te bañarías	
se bañará	se bañaría	
nos bañaremos	nos bañaríamos	
os bañaréis	os bañaríais	
se bañarán	se bañarían	

Verbs which follow this pattern are:

levantarse to get up
lavarse to have a wash
llamarse to be called
peinarse to do one's hair

Look at sentir and bañarse and you will see how these reflexive verbs work:

divertirse to enjoy oneself
vestirse to get dressed

Write about your daily routine while on holiday last year or when you were younger, using some reflexive and other verbs in the imperfect tense.

Gustar

Me gusta really means 'it is pleasing to me'.

Use gusta with singular nouns and with verbs in the infinitive:

Me gusta el español. Me gusta jugar al fútbol.
No me gusta el alemán. Me gusta ir al cine.

Use gustan with plural nouns:

Me gustan los gatos. No me gustan las serpientes.

me gusta/gustan I like
te gusta/gustan you like
le gusta/gustan he, she, it likes
you like (polite)
nos gusta/gustan we like
os gusta/gustan you like (familiar)
les gusta/gustan they like
you like (polite)

Other verbs which work in the same way are:

me encanta/encantan I love
me interesa/interesan I am interested in
me molesta/molestan I am annoyed by
me preocupa/preocupan I am worried about
me hace falta/hacen falta I need

Vocabulario español – inglés

A

a partir de – from
a veces – sometimes
el abanico – fan
el abrigo – coat
aburrido – boring, bored
acabo de – I have just
acabo de ver... – I have just seen...
el aceite – oil
acordarse – to remember
acortar distancias – to cut corners
la actriz – actress
actualmente – at present, nowadays
de acuerdo – agreed
adelgazar – to lose weight
además – furthermore
el adepto – user, fan
¿adónde fuiste? – where did you go?
afín – similar
las afueras – outskirts
agarraba – grasped
agarrar – to grasp
el agente secreto – secret agent
agobiante – pressurised
agradable – pleasant
agradeciéndole – thanking you for
la aguja – needle
ahorrar – to save
ahorrar energía – to save energy
el aire acondicionado – air conditioning
el aire libre – open air
el albañil – bricklayer, mason
el albergue juvenil – youth hostel
el alcalde – mayor
alegre – happy
¿algo más? – anything else?
el algodón – cotton
allá – over there
el almacén – department store
alquilar – to hire, to rent
amable – kind, nice
el amanecer – dawn
ambicioso/a – ambitious
un ambiente agradable – pleasant environment
un animador de niños – children's entertainer
un año libre – a year off
anoche – last night
el anorak – anorak
antes de – before
antipático/a – unpleasant
el anuncio – advertisement
el aparcamiento – parking
aparentar – to feign, affect
aprobar – to pass (exams)
aquel – that (masc)
aquella – that (fem)
aquellas – those (fem, plur)
aquellos – those (masc, plur)
la arena – sand
el argumento – plot
arriesgarse – to risk
el ascensor – lift
las asignaturas suspendidas – failed subjects
asistir – to attend
asisto – I attend
asombrar – to amaze, astonish
la astronomía – astronomy
atentamente – yours faithfully
atraer – to win, to draw (attention)
la audición – audition
el aula (fem) – classroom
en autobús – by bus
el autocar – coach
autoexigencia – self-discipline
el autor – author
el/la auxiliar de vuelo – flight attendant

B

bailar – to dance
la bailarina – dancer, ballerina
el baile – dance
el balcón – balcony
el bañador – swimming costume
el banco – bank
barato/a – cheap
más barato/a – cheaper
el barrio – neighbourhood
bastante/s – enough
la basura – rubbish
un basurero – dustbin man
la batalla – battle
la biblioteca – library
en bicicleta – by bike
bien pagado – well-paid
bienes – goods (capital)
el billetero – wallet
la blusa – blouse
un bocado – mouthful
la boda – wedding
una boina – beret
unos bolígrafos – some biros
la bolsa – bag
el bolso – bag
el bombón – sweet
bonito/a – pretty
el borrador – rough copy; rubber, board rubber
borrar – to rub out
las botas – boots
el buen trato – good treatment
tener buena presencia – to be well-presented
buenísimo/a – very good
bueno/a – good
el búho – owl
burlarse – to joke
el buzón – postbox

C

una cabina telefónica – phone box
cada uno – each one
cada vez más – increasingly
la caja – box
la caja de seguridad – safe
calar – to soak
una calculadora – calculator
el calendario – calendar
la calificación – qualification
caló – soaked
un camarero – waiter
cambiar – to change
el cambio – change
el cambio de moneda – bureau de change
la camisa – shirt
la camiseta – T-shirt
cancelar – to cancel
la cancha – pitch, court
la canción – song
el canguro – kangaroo
hacer de canguro – to babysit
el/la cantante – singer
la capacidad para motivar – ability to motivate
el caramelo – sweet
el Caribe – Caribbean
el cariño – affection
cariñoso/a – caring
el carnet de identidad – identity card
un carnicero – butcher
una carpeta – folder
la carrera – career
un cartero – postman
el cartón – cardboard
casi tanto como – almost as much as
la cerámica – pottery
cerca – near
la cesta – basket
un chaleco – waistcoat
el chandal – tracksuit
la chaqueta – jacket
charlar – to chat
el chicle – chewing-gum
la chuleta – punch; cheat, crib
el ciclomotor – motorcycle
las ciencias empresariales – business studies
los cinco sentidos – the five senses
el cinturón – belt
la cita – date (with a friend)
clase gratis – free lesson
la clave – key
el clima – climate
el club de teatro – drama club
cobro revertido – reverse charge
un/a cocinero/a – cook
el código – dialling code
codos – hard study
el cole – school
colocar – to put in
combatir – to fight
el comercio – business (studies)
el/la compañero/a – partner
la compañía – company
compartir – to share
comprobar los fallos – to check your mistakes
estar comunicando – to be engaged (phone)
comunicarse – to communicate; to get through (phone)
me comunico – I get through (phone)
con baño – with a bath
con buen pie – a good footing
con ducha – with a shower
conseguir un éxito – to be successful

el consultorio dental – dental practice
la contaminación – pollution
contar – to tell
contratar – to sign a contract for, to hire, engage
contratos – contracts
convenirse – to agree
se ha convertido – he has become
convertirse – to become, be transformed
la corbata – tie
correos – post office
correr – to run
corto de tiempo – short of time
la cosecha – harvest
cotidiano – daily
creo – I believe
creo que – I think
las croquetas – meat/fish-filled rissoles
el croquis – sketch
cruel – cruel
un cuaderno – exercise book
la cuenta bancaria – bank account
cuero – leather
¡cuidado! – careful!
cuídalo – look after it
cuidar – to look after
la cuota inicial – the initial cost
el curso – academic term

D

no me da la gana – I don't feel like it
no me daba cuenta – I didn't realize
dar un repaso – to revise
darse cuenta – to realise
debe – he/she/you must
delante de – in front of
el delito – crime, offence
demasiado – too much, too many
demasiado caro – too expensive
el/la dentista – dentist
denunciar – to denounce, report
el/la dependiente/a – shop assistant
los derechos – rights
desafortunadamente – unfortunately
el desagüe directo – drain
desaparecer – to disappear
desapercibido – unnoticed
el descubrimiento – discovery
desde – from, since
desde hace – since (time)
desea – wishes to
la desesperación – desperation
el desfile – procession
la desforestación – deforestation
desnatado – skimmed
desobedecer las reglas – to break the rules
desperdiciar – to waste
no desperdicies – don't waste
los detalles – details
detenido – detained
devolver – to return
el día de Año Nuevo – New Year's Day
el día de la Madre – Mother's Day
el día de los Muertos – All Soul's Day
el día de los Santos Inocentes – Holy Innocents' Day
el día de Navidad – Christmas Day
el día de Reyes – Epiphany
un diccionario – dictionary
¿dígame? – hello? (phone)
diminuto – tiny
el director – director
el disco compacto – CD
una disculpa – excuse
un discurso – speech
el/la diseñador/a – designer
disfrazarse – to dress up
disponer de – to have
divertido – entertaining
divertirse – to enjoy oneself
el doble sentido – double meaning
dominio del idioma... – fluency in...
¿dónde nos encontramos? – where shall we meet?
dormir – to sleep
el dueño – owner
duran – they last
durar – to last
duraría – it would last
duro/a – hard

E

la edad – age
egoísta – selfish
el Cid – legendary Spanish warrior
elegante – elegant
elegir – to choose
el embarazo – pregnancy
emocionante – exciting
empezar – to start
empiezan – they start
el/la empleado/a – employee
a su enamorado/a – to his/her beloved
el enchufe eléctrico – electrical point
encontrarse – to meet
el/la enfermero/a – nurse
el/la enfermo/a – invalid
engancharse – to get hooked
el enganche – telephone connection
enorme – huge
enrollarse – to get involved
el entorno laboral – working environment
la entrada – cinema ticket
entregar – to hand in
el/la entrenador/a – coach
la entrevista – interview
es precioso – it's lovely
esa – that (fem)
esas – those (fem, plur)
escaleras móviles – escalators
el escaparate – shop window
la escuela de equitación – horse riding school
ese – that (masc)
el esfuerzo – effort
esos – those (masc, plural)
una espinilla – blackhead
el esqueleto – skeleton
esta – this (fem)
está – he/she/it is, you (usted) are
estaba – I/he/she was, you (usted) were
estabais – you (vosotros) were
estábamos – we were
estaban – they were, you (ustedes) were
estabas – you (tú) were
el establecimiento – establishment
el establecimiento público – public establishment
la estación de ferrocarril – railway station
estadounidense – American
estáis – you (vosotros) are
estamos – we are
estamos ligando – we are meeting boys
están – they are, you (ustedes) are
el estanco – tobacconist/sweet shop
el estante – shelf
estar – to be
estar al día – to be up to date
estar bien de salud – to be healthy
estar en forma – to be in shape
estar en paro – to be unemployed
estar en peligro de extinción – to be in danger of extinction
estaría – it would be (place)
estas – these (fem, plur)
estás – you (tú) are
la estatuilla – statuette
este – this (masc)
el estilo – style
estos – these (masc, plural)
estoy – I am
estoy aburrido/a – I'm bored
estoy cansado/a – I'm tired
estoy comiendo un helado – I'm eating an ice cream
estoy contento/a – I'm happy
no estoy de acuerdo – I don't agree
estoy estudiando – I'm studying
estoy harto/a – I'm fed up
estoy nervioso/a – I'm nervous
estoy patinando – I'm skating
no estoy segura – I'm not sure
la estrella – star
estresante – stressful
el estuche – pencil case
estudiar – to study
estudiaríamos – we would study
la etapa – stage
evitar – to avoid
el éxito – success
la extinción – extinction
el extraterrestre – extraterrestrial, alien

F

la fábrica – factory
la falda – skirt
falso – untrue, false
feo/a – ugly
fijarse – to pay attention
el fin de semana – weekend
firmar – to sign
la fluidez – fluency
el folleto – brochure
el formulario – application form
el fregadero – sink
fregar – to wash (up)
el fuego de leña – log fire
fuegos artificiales – fireworks

fuerte – strong
el futbolista profesional – professional footballer

G

ganábamos – we earned
el/la ganador/a – winner
ganar – to win, to earn
ganar mucho dinero – to earn a lot
una ganga – a bargain
el garaje – garage
los gastos – expenses
generoso/a – generous
la gente – people
la geología – geology
la gestión – management; conduct, effort
el gimnasio – gym
una goma (de borrar) – rubber
un grupo empresarial – managerial group
¡guapo! – handsome, good-looking
guardar la línea – to keep trim
guardar silencio – to be quiet
¡guau! – Wow!

H

ha estudiado – he/she has studied, you (usted) have studied
ha obtenido – he/she has obtained, you (usted) have obtained
habéis estudiado – you (vosotros) have studied
habéis obtenido – you (vosotros) have obtained
la habitación doble – double room
la habitación individual – single room
la habitación libre – available room
habría – there would be (numbers)
me hace(n) falta – I need
¿Qué te hace falta? – What do you need?
hace una hora – an hour ago
no me hace(n) falta – I don't need
han estudiado – they have studied
han obtenido – they/you (ustedes) have obtained
has estudiado – you (tú) have studied
has obtenido – you (tú) have obtained
hasta – up to, until
he estudiado – I have studied
he hecho – I have done
he obtenido – I have obtained
he puesto la mesa – I've set the table
hecho – made
el hecho – act
hecho de – made from
hemos estudiado – we have studied
hemos obtenido – we have obtained
el hilo – thread
el historial – professional CV
la hoguera – bonfire
el hombre de negocios – businessman
honrado – honest
el horario de autocar – coach timetable
horas seguidas – long hours
el hospital – hospital
hoy – today

I

lo idóneo – the ideal
imitar – to imitate
impaciente – impatient
imprescindible – essential
el incendio forestal – forest fire
incluido – included
independiente – independent
inédito – unreleased, new
el/la ingeniero/a – engineer
innecesario – unnecessary
inteligente – intelligent
interesante – interesting
intuir – to guess
ir – to go
ir de puntillas – to go on tiptoe
irá – he/she/you (usted) will go
irán – they/you (ustedes) will go
irás – you (tú) will go
iré – I will go
iréis – you (vosotros) will go
iremos – we will go
las Islas Canarias – Canary Islands

J

jamás – never
el/la jardinero/a – gardener
la jaula – cage
jefe de animación – chief entertainer
jefe de recepción – chief receptionist
el jersey – pullover
el jorobado – hunchback
juergista – reveller
el juguete – toy
un juicio – trial
junto con – together with
¿es justo? – is it just/fair/right?

L

al lado de – next to
la lana – wool
unos lápices de colores – some coloured pencils
el lavabo – washroom, lavatories
le ruego – please (formal, in letters)
leal – loyal
leer – to read
lejos – far away
la lengua – tongue
la librería – bookshop
un libro de texto – text book
ligar – to meet boys/girls
una línea fija – telephone line
estás listo/a – you (tú) are ready
lo cotidiano – the everyday thing
lo primero – the first thing
lo/la – it (pronoun)
el loro – parrot
luego – then, later
la luna – moon

M

la madera – wood
mal – bad
la maleta – suitcase
malísimo – very bad
las mallas – leggings
mandar – to send
mantener – to keep
marcar – to dial
marcharse – to leave
El Martes Gordo – Shrove Tuesday
es más ... que – it's more ... than
mascar chicle – to chew gum
masticar – to chew
mayor(es) – older
me confirme – confirm
me han robado – I've been robbed
me interesa – it interests me
me mande – send me
me molesta – it bothers me
me preocupa – it worries me
el mecánico – mechanic
medianoche – midnight
mediante – through, by means of
el/la médico/a – doctor
el medio ambiente – environment
el mejor – the best
menor(es) – younger
es menos ... que – it's less ... than
la mensualidad – monthly payment
mentiroso – liar
merendar – to have for tea
en metro – by tube, underground
la mezcla – mixture
el miedo – fear
Miércoles de Ceniza – Ash Wednesday
la misma canción – the same song
una mochila – rucksack
la moda – fashion
el/la modelo – model
el/la modelo de élite – top model
molestar – to annoy
molestarse – to bother
las monedas – coins
el monedero – purse
montar en bicicleta – to cycle
moro – Moor (North African)
la motocicleta – motorcycle
las muestras – signs
el músico – musician

N

nada – nothing
de nada – you're welcome
estoy nadando – I'm swimming
nadar – to swim
nadie – no-one
la naturaleza – nature
la Navidad – Christmas
un negocio – business
nervioso/a – nervous
la nevera – fridge
ni ... ni – neither ... nor
ninguno/a/os/as – none
no – no, not
no me gustó nada – I didn't like it at all
no me hizo reír – it didn't make me laugh

no te preocupes – don't worry
la Nochebuena – Christmas Eve
normalmente – usually
las normas – rules
la nota más alta – the highest grade
una nota – note
la novia – girlfriend (fiancée, bride)
el novio – boyfriend (fiancé, groom)
nunca – never

O

una obra teatral – play
obtener – to gain, obtain
odiar – to hate
odio – I hate
la oferta – special offer
la oficina – office
la ola – wave
el/la operador/a – operator
optimista – optimist
el ordenador – computer
orgulloso/a – proud
el oso – bear
el ozono – ozone

P

paciente – patient
pagar bien – to pay well
el país hispanohablante – Spanish-speaking country
las palomitas – popcorn
la panadería – bread shop
los pantalones – trousers
el pañuelo – headscarf, handkerchief
el papel – paper; role
el papel reciclado – recycled paper
la parada – bus stop
¡se parece mucho a ti! – it looks like you!
parece que – it seems that
el parque – park
el partido – match
la pasarela – catwalk
pasarlo bien – to have a good time
pasear – to walk
el pasillo – corridor
la pastelería – cake shop
patinar – to skate
el patio – courtyard, playground
pedir – to ask
pedir perdón – to apologise
la película de actualidad – current film
peligro de incendio – fire hazard
peligroso – dangerous
el/la peluquero/a – hairdresser
los pendientes – earrings
los pensamientos – thoughts
el peor – the worst
una pérdida de tiempo – waste of time
perdido/a – lost
¡perdón! – I'm sorry
perdonar – to forgive
perezoso/a – lazy
perfecto/a – perfect
el perfil – profile
el periódico – newspaper
un/a periodista – journalist
periódicos – periodic, at intervals
el perro – dog
los personajes principales – main characters
perteneciente – belonging (to)
peruano – Peruvian
la pesadilla – nightmare
la pesca submarina – underwater fishing
el/la pesimista – pessimist
un pichi – pinafore dress
pido – I ask
a pie – on foot
pienso – I think
pillar – to catch
pilló – caught
el piloto – pilot
el pimiento – pepper
pisar – to step on
una piscina cubierta – indoor pool
planchar – to iron
planchaste – you (tú) ironed
planché – I ironed
el plano – plan, map
la planta – floor
plantar – to plant
plantearse – to put forward
plástico – plastic
la playa – beach
poder – to be able
podrá – he/she/you (usted) will be able
podrán – they/you (ustedes) will be able
podrás – you (tú) will be able
podré – I will be able
podréis – you (vosotros) will be able
podremos – we will be able
podríamos – we could
el/la policía – policeman/woman
poner – to put, lay; to show
popular – popular
por ahí – thereabouts
por correo – by post
por falta de – due to lack of
por la mañana – in the morning
por lo menos – at least
positivo/a – positive
la postal – postcard
práctico – practical
el precio de enganche a la línea – telephone connection cost
el prefijo – prefix
el premio – prize
preocuparse – to worry
la prestación – capability
probarlo – to try it
el problema – problem
los profes – teachers
un/a profesor/a – teacher
el propelante – aerosol
la propina – tip
propio/a – own
proporcionar – to give
el/la protagonista – protagonist (main character)
proteger – to protect
protegerlo – to protect it
próximo – next
la prueba de selección – selection test
el pueblo – town
el puente – bridge
la puerta principal – main entrance
el puesto – position
el puesto de trabajo – post (job)
la pulsera – bracelet

Q

¡qué casualidad! – what a coincidence!
¿qué contiene? – what does it have in it?
¡qué emoción! – how exciting!
¿a qué hora? – at what time?
¿a qué hora ponen la película? – what time is the film?
¡qué mozo! – really good-looking (of male)
¡qué pena! – what a pity!
¿qué quieres ser en el futuro? – what do you want to do?
¿qué te pasa? – what's the matter?
no quedan – there are none left
quedarte – to stay
quemar – to burn
querer ligar – to fancy
quiero ser... – I want to be a...
quizás – perhaps

R

raro – rare
la raza – race
rebajar – to reduce
las rebajas – sales
el recibo – receipt
reciente – recent
recientemente – recently
la recogida – collection (post)
la recomendación – reference
la recompensa – reward
recordar – to remember
recuerdan – they remember
un reembolso – refund
regalar – to give (a present)
el regalo – present
me regaló – gave to me
el régimen – diet
una regla – ruler
las reglas – rules
el Reino Unido – United Kingdom
relajarse – to relax
remitir – to send
renovar – to renew
el reportaje – report
el/la reportero/a – reporter
requerir – to need, require
la reserva – reservation
responsable – responsible
la retribución – pay
rico/a – rich; tasty
el rincón – corner
riquísimo/a – delicious
robar – to rob
la ropa ajustada – tight clothes
la ropa deportiva – sports clothing
la rosa – rose
unos rotuladores – some felt-tip pens
el ruido – noise

S

saber – to know
un sacapuntas – pencil sharpener
el salario anual bruto – annual salary (gross)
salvaje – wild
las sandalias – sandals
el santo patrono – patron saint
se gratificará – will pay, reward
se prohibe – it is forbidden
se trata de – it is about
una secretaria – secretary
la seda – silk
seguir estudiando – to continue studying
el sello – stamp
la selva – jungle
la Semana Santa – Holy Week
sencillo/a – simple
sentirlo – to be sorry
sentirse a gusto consigo mismo – to feel fulfilled
ser licenciado/a – to have a degree
ser una lata – to be a pain
sería – I would be
sería – he/she/it/you (usted) would be
seríais – you (vosotros) would be
seríamos – we would be
serían – they/you (ustedes) would be
serías – you (tú) would be
el servicio automático – answering service
el servicio de lavandería – laundry service
los servicios que ofrece el hotel – hotel services
los servicios – lavatories
la sesión – performance (film)
el SIDA – AIDS
siempre – always
lo siento – I'm sorry
el siguiente – the following
simpático/a – nice, likeable
sincero/a – sincere
sobre – about, above
el sobre – envelope
el soldado – soldier
solía ir – used to go
la soltera – spinster
el soltero – bachelor
la sombra – shadow
soñar – to dream
su pronta atención – your prompt attention (in letters)
sudaba – sweated
la sudadera – sweatshirt
sudar – to sweat
el supermercado – supermarket
el surtido – assortment, range

T

el tacón – heel
Tailandia – Thailand
los talleres de ... – studios, workshops
el tamaño – size
tan pronto como le sea posible – at your earliest convenience
tanto ... como ... – as much ... as ...
las tapas – snacks
las taquillas – box office
la tarifa de precios – price list
la tarjeta – postcard
la tarjeta de crédito – credit card
en taxi – by taxi
la tela – material
el teléfono móvil – mobile telephone
el temor – fear
tendría – it would have
tener – to have
tener celos – to be jealous
tener conocimientos de... – to have some knowledge of...(language)
tener cuidado – to be careful
tener de todo – to have everything
tener dolor de estómago/cabeza – to have a stomach/head ache
tener éxito – to be successful
tener experiencia – to have experience
tener miedo – to be scared
tener prisa – to be in a hurry
tengo ganas (de) – I feel like...
no tengo ganas – I don't feel like...
tengo hambre – I'm hungry
tengo miedo – I'm scared
¡no tengo ni un duro! – I haven't got a penny!
tengo prisa – I'm in a hurry
tengo sed – I'm thirsty
tengo sueño – I'm sleepy
tenía – I/he/she/you (usted) had
teníais – you (vosotros) had
teníamos – we had
tenían – they/you (ustedes) had
tenías – you (tú) had
terminan – they finish
terminar – to finish
la terraza – terrace
el testigo – witness
el tiempo – weather
de los tiempos – in the age of...
la tienda – shop
una tienda de regalos – gift shop
tiene lugar en – it takes place in
unas tijeras – scissors
tímido/a – timid
el tipo – type
un título – degree
tocar – to play
todas las semanas – every week
todavía – still
todavía no – not yet
todos los días – every day
tomar el sol – to sunbathe
el tono – dialling tone
el toro – bull
trabajador – hard-working
trabajar de canguro – to babysit
hacer trampas – to play a trick on somebody
tras – after
en tren – by train
estoy triste – I'm sad
tumbarse – to stretch out
turquesa – turquoise

U

u – or
último/a – last
el usuario – user
útil – useful
utilizar – to use
¡uy¡ – oh!

V

vale – OK
vale la pena – it's worth it
valiente – brave
vamos a ver – let's see
los vaqueros – jeans
variar – to vary
el varón – male
vender – to sell
la vendimia – grape harvest
la ventaja – advantage
la ventanilla – window
el verano pasado – last summer
la verbena – open-air dance
la vergüenza – shame
el vestido – dress
el vestuario – clothing
los vestuarios – changing-rooms
el veterinario – vet
vi – I saw
un viaje de fin de curso – an end of term trip
el viento – wind
vistas al mar – sea view
la vitrina – glass case, shop window (LAm)
la vuelta – return

Y

ya no estamos saliendo – we're not going out any more
ya veremos – we'll see

Z

la zapatería – shoe shop
las zapatillas deportivas – sports shoes
los zapatos – shoes

Vocabulario inglés – español

This short list of important words and phrases will help you with writing activities. You will find it useful when writing messages, letters and postcards.

to be
able – poder
he/she will be
able – podrá
I will be
able – podré
they will be
able – podrán
you will be
able – podrás, podréis (plur)
about, above – sobre
academic term – el curso
advertisement – el anuncio
after – tras
agreed – de acuerdo
I don't
agree – no estoy de acuerdo
AIDS – el SIDA
All Soul's Day – el Día de los Muertos
always – siempre
I am – estoy
answering service – el servicio automático
anything else? – ¿algo más?
we are – estamos
you are (sing) – estás
as much ... as ... – tanto ... como ...
Ash Wednesday – Miércoles de Ceniza
I ask – pido
to ask – pedir
assortment, range – el surtido
astronomy – la astronomía
at least – por lo menos
to attend – asistir
to pay
attention – fijarse

to babysit – trabajar de canguro
bachelor – el soltero
very
bad – malísimo/a
bag – el bolso
bank – el banco
bank account – la cuenta bancaria
to be – estar
it would
be (place) – estaría
I would
be – sería
they would
be – serían
we would
be – seríamos
you would
be – serías (sing), seríais (plur)
I believe – creo
belt – el cinturón
the best – el mejor
blouse – la blusa
boots – las botas

I'm bored – estoy aburrido/a
box office – las taquillas
bracelet – la pulsera
bricklayer, mason – el albañil
bureau de change – el cambio de moneda
business – un negocio
businessman – el hombre de negocios
business studies – las ciencias empresariales
butcher – el carnicero

cake shop – la pastelería
career – la carrera
change – el cambio
to change – cambiar
to chat – charlar
cheap – barato/a
cheaper – más barato/a
children's entertainer – el animador de niños
Christmas – la Navidad
Christmas Day – el día de Navidad
Christmas Eve – la Nochebuena
classroom – el aula
coach – el autocar; el/la entrenador/a
coins – las monedas
collection – la recogida
company – la compañía
computer – el ordenador
I am
contented – estoy contento/a
to contract, hire – contratar
cook – un/a cocinero/a
corridor – el pasillo
we could – podríamos
courtyard, playground – el patio
credit card – la tarjeta de crédito
I'm cycling – estoy montando en bicicleta

daily – cotidiano
to dance – bailar
dancer, ballerina – la bailarina
I am
dancing – estoy bailando
dangerous – peligroso/a
date (with a friend) – la cita
to have a
degree – ser licenciado/a
delicious – riquísimo/a
dental practice – el consultorio dental
dentist – el/la dentista
department store – el almacén
designer – el/la diseñador/a
details – los detalles
to dial – marcar
dialling code – el código
dialling tone – el tono
to disappear – desaparecer

I have
done – he hecho...
drama club – el club de teatro
to dream – soñar
dustbin man – un basurero

each one – cada uno
we earned – ganábamos
I'm eating an ice cream – estoy comiendo un helado
employee – el/la empleado/a
to be
engaged (phone) – estar comunicando
engineer – el/la ingeniero/a
chief entertainer – el jefe de animación
envelope – el sobre
Epiphany – el día de Reyes
eraser, board rubber – el borrador
essential – imprescindible
every day – todos los días
every week – todas las semanas
expenses – los gastos
to have
experience – tener experiencia

failed – suspendido/a
failed subjects – las asignaturas suspendidas
fashion – la moda
I'm fed up – estoy harto/a
they
finish – terminan
to finish – terminar
the first thing – lo primero
flight attendant – el/la auxiliar de vuelo
footballer – el futbolista profesional
it is forbidden – se prohibe
from – a partir de
from, since – desde
furthermore – además

gardener – el/la jardinero/a
to get through (phone) – comunicarse
gift shop – la tienda de regalos
to give (a present) – regalar
to go – ir
he/she will
go – irá
I will
go – iré
they will
go – irán
we will
go – iremos
you will
go – irás (sing), iréis (plur)
used to
go – solía ir

good – bueno/a
very good – buenísimo/a
to have a
good time – pasarlo bien
gym – el gimnasio

I had – tenía
he/she
had – tenía
they had – tenían
we had – teníamos
you had (plur) – teníais
you had (sing) – tenía (usted), tenías (tú)
hairdresser – el/la peluquero/a
happy – alegre
hard-working – trabajador
I hate – odio
to hate – odiar
to have – tener
to have a stomach/head ache – tener dolor de estómago/cabeza
I have just – acabo de
it would
have – tendría
Hello (phone) – ¿dígame?
to hire – alquilar
Holy Innocents' Day – el día de los Santos Inocentes
Holy Week – Semana Santa
How exciting! – ¡qué emoción!
I'm in a
hurry – tengo prisa

identity card – el carnet de identidad
increasingly – cada vez más
interview – la entrevista
I ironed – planché
you ironed – planchaste
he/she/
it is – está
it (pronoun) – lo,la
journalist – el/la periodista

kind, nice – amable
to know – saber

last – último/a
it would
last – duraría
last summer – el verano pasado
to last – durar
they last – duran
laundry service – el servicio de lavandería
lavatories – los servicios
leather – cuero
it's less ... than – es menos ... que ...
library – la biblioteca

made – hecho
male – varón
match – el partido
mayor – el alcalde
mechanic – el mecánico
to meet – encontrarse
mobile phone – el teléfono móvil
Mother's Day – el día de la Madre
he/she/you
must – debe

I need – me hace(n) falta
I don't
need – no me hace(n) falta
neither ... nor ... – ni ... ni ...
I am
nervous – estoy nervioso/a
never – jamás, nunca
New Year's Day – el día de Año Nuevo
next to – al lado de
nice, likeable – simpático/a
none – ninguno
not yet – todavía no
nothing – nada
nowadays – actualmente
nurse – el/la enfermero/a

OK – vale
he/she has
obtained – ha obtenido
I have
obtained – he obtenido
you have
obtained – has obtenido
to obtain, gain – obtener
office – la oficina
older – mayor/es
open air – el aire libre
operator – el/la operador/a
or – o

parking – el aparcamiento
partner – el/la compañero/a
to pass (exams) – aprobar
pay – la retribución
to pay well – pagar bien
phone connection – el enganche
pilot – el piloto
pitch, court – la cancha, la pista
plan, map – el plano
to plant – plantar
the plot – el argumento
policeman – el policía
pollution – la contaminación
post (job) – el puesto de trabajo
postbox – el buzón
postcard – la tarjeta
postman – el cartero
post office – correos
prefix – el prefijo
present – el regalo
pretty – bonito/a
price list – la tarifa de precios
to protect – proteger
to put in – colocar

qualification – la calificación
quite a lot, enough – bastante/s
receipt – el recibo
receptionist (chief) – jefe de recepción
to reduce – rebajar
refund – un reembolso
to remember – acordarse
reporter – el/la reportero/a
reservation – la reserva
reverse charge – cobro revertido
to revise – dar un repaso
rich, tasty – rico/a
to rub out – borrar
rubber – la goma (de borrar)
to run – correr

sales – las rebajas
to save (money) – ahorrar
I saw – vi
to be
scared – tener miedo
secretary – una secretaria
to sell – vender
to send – mandar; remitir (business)
send me – me mande
to share – compartir
shoe shop – la zapatería
shop – la tienda
to show – poner
Shrove Tuesday – Martes Gordo
singer – el/la cantante
snacks – las tapas
soldier – el soldado
sometimes – a veces
I'm sorry – ¡perdón!, lo siento
spinster – la soltera
sports shoes – las zapatillas deportivas
stamp – el sello
they
start – empiezan
to start – empezar
still – todavía
to study – estudiar
he/she has
studied – ha estudiado
I have
studied – he estudiado
they have
studied – han estudiado
we have
studied – hemos estudiado
you have
studied – has estudiado
we would
study – estudiaríamos
I am
studying – estoy estudiando
to continue
studying – seguir estudiando
to be
successful – tener éxito
supermarket – el supermercado
I'm not
sure – no estoy segura
swimming costume – el bañador

telephone box – una cabina telefónica
text book – un libro de texto

thanking you for... – agradeciéndole...
that – aquel, ese (masc), aquella, esa (fem)
then, later – luego
there would be (number) – habría
these – estos (masc), estas (fem)
I think – pienso
I think (believe) that – creo que
this – este (masc), esta (fem)
those – esos (masc), esas (fem)
tie – la corbata
tip – la propina
I'm tired – estoy cansado/a
today – hoy
together, with – junto con
too expensive – demasiado caro
too much, too many – demasiado
top model – modelo de élite
tracksuit – el chandal
end of term trip – un viaje de fin de curso

unfortunately – desafortunadamente
United Kingdom – el Reino Unido
up to, until – hasta
to use – utilizar
user – el usuario
usually – normalmente

vet – el veterinario

waistcoat – un chaleco
waiter – un camarero
wallet – el billetero
I want to be a... – quiero ser...
he/she was – estaba
I was – estaba
washroom – el lavabo
we'll see – ya veremos
we're not going out any more – ya no estamos saliendo
weather – el tiempo
wedding – la boda
well-paid – bien pagado
you were – estabas
they were – estaban
we were – estábamos
What's the matter? – ¿qué te pasa?
What do you need? – ¿qué te hace falta?
What do you want to be? – ¿qué quieres ser en el futuro?
What time is the film? – ¿a qué hora ponen la película?
Where did you go? – ¿adónde fuiste?
Where shall we meet? – ¿dónde nos encontramos?
window – la ventanilla
to win, to earn – ganar
winner – el/la ganador/a
the worst – el/la peor

younger – menor(es)
yours faithfully – atentamente
youth hostel – el albergue juvenil

Las instrucciones

A continuación – the following
Añade – Add
Busca las palabras que no conoces en el diccionario – Look in the dictionary for the words you don't know
Compara tus respuestas – Compare your answers
Completa el diálogo – Complete the dialogue
Copia y completa – Copy and complete
Discurso – Discussion
Diseña – Design
Elige – Choose
Elige la norma que corresponde a... – Choose the rule that applies to...
Elige las palabras que faltan de la lista – From the list choose the missing words
Empareja – Match
Emplea – Use
Escribe el orden en el que oyes mencionar – Write in the order that you hear
Escribe un párrafo sobre... – Write a paragraph about...
Escucha y lee – Listen and read
Explica a... – Explain to...
Habla a la clase sobre... – Speak to the class about...
Haz las siguientes preguntas por turnos – Take it in turns to answer the following questions
Luego contesta las preguntas – Then answer the questions
Marca – Tick/mark
Mira... – Look at...
Mira el/la... otra vez – Look at the... again
Mira el plano del... – Look at the plan/map of the...
Mira la foto y escucha la cinta – Look at the photo and listen to the tape
Mira las siguientes preguntas y prepara un discurso – Look at the following questions and prepare a discussion
Pídele... – Ask him/her...
Pon – Put
Pon las frases que faltan en el orden correcto – Put the missing sentences in the correct order
Por turnos haz los papeles del/de la... – Take it in turns to play the role of the...
Pregunta y contesta – Ask and answer
Prepara – Prepare
Recorta – Cut out
Rellena – Fill in
Rellena la ficha – Fill in the form
Según tus propias opiniones – In your own opinion
Trabaja con tu compañero/a – Work with your partner
Usa – Use
Vuelve a escuchar – Listen again